Síntomas y enfermedades del intestino

Síntomas y enfermedades del intestino

- Colitis ulcerosa y enfermedad de Crohn
- Colon irritable
- Enfermedad celíaca
- Pólipos y cáncer de colon
- Incontinencia anal

Dr. Joan Monés Xiol

Amat
editorial

Autor: Joan Monés Xiol
Director de la colección: Emili Atmetlla

© Editorial Amat, S.L., Barcelona, 2010 (www.amateditorial.com)

ISBN: 978-84-9735-342-7
Depósito legal:B-31824-2010
Diseño cubierta: XicArt
Maquetación: www.eximpre.com
Impreso por: Liberduplex
Impreso en España - *Printed in Spain*

Índice

ÍNDICE

Introducción

Tiene en sus manos un libro que tiene relación con uno de los temas más trascendentes del hombre, como es todo aquello que tiene que ver con la salud. Éste es, sin lugar a dudas, uno de los aspectos más trascendentes (para algunos el más importante), para conseguir el bienestar de la persona, y esta afirmación se ha mantenido inamovible a través de los tiempos.

De todas maneras y antes de iniciar su lectura, piense que este libro intenta ayudar a la comprensión de síntomas o enfermedades, pero en ningún caso puede ni debe sustituir la consulta ni el consejo del profesional sanitario, sobre todo del médico, y no tan sólo por el hecho de sus conocimientos, sino también porque la relación médico-paciente aporta una confianza que ningún libro puede conseguir por excelente que sea. No es la primera vez que he escrito que la relación médico-paciente es uno de los «fármacos» más poderosos para conseguir el alivio y a veces incluso la curación de nuestras molestias.

Por otra parte, manifiesto mi conformidad con la afirmación de Mark Twain: «Tenga cuidado con la lectura de libros sobre la salud. Puede morir de una errata de imprenta». Con esta ingeniosa frase, su autor quiere llamar la atención sobre el carácter informativo y en ningún caso decisorio que debe tener la divulgación sanitaria. Además, no se puede olvidar, ya que tiene un gran fondo de verdad, aquello de que «No hay enfermedades sino enfermos», y como afirmó F. W. Peabody, «Hay gran número de pacientes en los que no es la enfermedad la que necesita tratamiento, sino el hombre o la mujer».

Al iniciar con esta introducción el presente libro, me viene a la mente la conocida frase de Plinio el Viejo, «No hay libro tan malo del que no se pueda aprender algo bueno». Por tanto, pienso que el lector encontrará algún aspecto, como mínimo, que le pueda ser útil. De todas maneras, apreciado aunque desconocido lector, quiero hacer una reflexión para compartirla con usted. Hay un sentimiento extendido entre gran parte de la sociedad del mundo occidental, del que en parte somos responsables los médicos, de que la medicina es capaz de curar la mayoría de nuestras dolencias, incluso las más graves y también aquellas más leves, que perturban objetivos que se consideran hoy en día casi imprescindibles para mantener nuestra calidad de vida. Este sentimiento es falso, no todo es curable, pero es cierto el avance extraordinario de la medicina, que aporta sin duda más años a la vida y más vida a los años, es decir, la vida media en el mundo occidental supera ya los ochenta años y además es una vida de mayor calidad.

Al aceptar el reto de escribir esta monografía me hice la siguiente reflexión: ¿qué pinta un libro de divulgación sanitaria, en este caso sobre enfermedades intestinales, en un mundo globalizado, sin prácticamente limite para la información? La información sanitaria se puede dar y recibir en nuestra moderna sociedad de formas tan diversas como a través de programas sobre salud en televisión y radio, suplementos de periódicos, revistas dedicadas en exclusividad a temas de salud y belleza, y sobre todo internet, donde la información es exhaustiva, pero con un grado de fiabilidad muy irregular. Junto a informaciones correctas y bien contrastadas, las hay con graves deficiencias y errores de bulto, unas veces por falta de criterio y otras, lo que es aún peor, por un trasfondo comercial poco confesable.

Los libros de medicina enfocan su información desde dos puntos de vista. El primero va desde el síntoma (por ejemplo, disfagia o dificultad al tragar) hasta las enfermedades que puedan ocasionarlo, y el segundo, basándose en enfermedades conocidas (por ejemplo, úlcera de estómago) explica sus diferentes síntomas. En el primer caso, los libros suelen titularse «De los síntomas y signos al diagnóstico y tratamiento de enfermedades» y en el segundo, la portada refleja lo que el libro pretende: la descripción de enfermedades, en nuestro caso enfermedades intestinales.

En la divulgación sanitaria escrita se puede tomar partido por una de las dos opciones, pero también por hacer una exposición mixta, que es la que he decidido hacer en el libro, describiendo los procesos patológicos más frecuentes y conocidos.

En el presente libro dedicado a las enfermedades de intestino, unas son consecuencia de alteraciones y/o lesiones que justifican los síntomas (orgánicas), describiremos los procesos patológicos intestinales más frecuentes y conocidos (enfermedad celiaca o celiaquía, enfermedad de Crohn, colitis ulcerosa y el cáncer de colon y recto), con especial referencia a las manifestaciones precoces que pueden producir, formas de diagnóstico, evolución, tratamiento dietético y consejos en cuanto a su prevención.

En todas las especialidades, y también en la nuestra, se ha de tener presente la reflexión de J.A. Lindsay «Con respecto a la enfermedad, piensa tanto en un desorden funcional, como en una estructura dañada». Es decir, existen en medicina y en patología digestiva manifestaciones sintomáticas en las que no se encuentran, por lo menos de momento, alteraciones orgánicas que las justifiquen. Son las enfermedades funcionales, que tienen poca trascendencia en términos de esperanza de vida, pero gran trascendencia en términos de pérdida de calidad de vida. En el intestino, y más concretamente en el colon, hay una de las enfermedades funcionales más frecuentes y molestas, el colon irritable o síndrome del intestino irritable. Asimismo, dedicaremos un capítulo a la incontinencia anal, enfermedad tan frecuente como escondida.

Las enfermedades funcionales son más difíciles de explicar y entender que las enfermedades orgánicas. En toda enfermedad, y más especialmente en la enfermedad funcional, el médico no debe olvidar la antigua pero muy vigente máxima de Platón «El mayor error del médico es separar el cuerpo de la mente» en clara relación con la más reciente de J. Narosky «El médico que no entiende de almas, no entiende de cuerpos».

Después de esta introducción, en el primer capitulo se hace una breve descripción de los diferentes órganos que componen el aparato digestivo, su anatomía y funciones más importantes.

A continuación, siguiendo el conocido sistema de ir contestando preguntas, se describirán los síntomas y enfermedades. La exposición se hará bajo un mismo patrón, plantear las cuestiones más importantes y contestarlas de la forma más comprensible posible para facilitar su lectura. Fundamentalmente son las siguientes:

1. ¿Qué es la enfermedad?
2. ¿Cómo se manifiesta?
3. ¿Cómo se puede diagnosticar?
4. ¿Cómo se puede prevenir?
5. ¿Cómo se trata? Con especial énfasis en las recomendaciones dietéticas y de régimen de vida.

En el anexo I se definen por orden alfabético una serie de términos médicos y técnicos para que puedan ser bien entendidos. De esta forma, en cualquier momento el lector puede fácilmente recurrir a estas páginas para comprender un término técnico y se evita explicarlo cada vez que surja.

En el anexo II se describen los parámetros analíticos más importantes y que se solicitan con más frecuencia, así como los datos que pueden aportar para el conocimiento y diagnóstico de las enfermedades. También se describen las diversas técnicas de exploración radiológica, endoscópica y de funcionalidad de los órganos digestivos que se utilizan en nuestra especialidad y que tan trascendentes son para el diagnóstico, valoración e incluso tratamiento de las enfermedades digestivas.

Aprovechando mi experiencia como profesor de Bioética en la Facultad de Medicina de la Universidad Autónoma de Barcelona y durante quince años presidente de la comisión de deontología del Colegio de Médicos de Barcelona, incluyo como **anexo III** una exposición sobre ética y ley del consentimiento informado. Es una información que creo útil, pero que si no la considera interesante puede pasarla por alto. Quizá algún día, cuando el médico le pida el consentimiento para realizarse una intervención quirúrgica o una exploración de un cierto riesgo, recuerde el capítulo de este libro y lo rescate de la biblioteca para leer precisamente esas páginas que pasó por alto.

Por último, quiero remarcar que se harán consideraciones tan sólo genéricas en cuanto a fármacos, ya que esta faceta es patrimonio exclusivo del médico que trata directamente con su paciente. No obstante, se hará referencia a algunos de los fármacos comercializados más utilizados, que irán siempre en cursiva y con el símbolo® para que el lector conozca las posibilidades de que dispone.

1. Aparato digestivo y patología digestiva

¿Qué es la patología digestiva?

La patología digestiva estudia y trata todas aquellas alteraciones que se producen en el aparato digestivo. El aparato digestivo tiene como misión fundamental, aunque no exclusiva, extraer y absorber de los alimentos que se ingieren, las materias primas que servirán al organismo para mantener y regenerar los elementos que conforman los tejidos y órganos y producir la energía necesaria para la actividad del organismo.

El aparato digestivo esta formado por una serie de órganos huecos que forman un largo y tortuoso tubo, que se extiende desde la boca al ano. Todo este sistema tubular está revestido en su interior por una membrana que se denomina mucosa, formada por epitelio escamoso en esófago y en el resto por epitelio cilíndrico.

Además, también forman parte del aparato digestivo dos importantes órganos compactos, el hígado y el páncreas, que producen jugos que llegan a la primera porción del intestino (duodeno) a través de pequeñas tuberías, que en el hígado reciben el nombre de vías biliares y en el páncreas conducto pancreático, que desembocan juntas en la llamada papila de Vater.

¿Cómo son y qué función cumplen los diferentes órganos que conforman el aparato digestivo?

La boca. En la boca se inicia el primer proceso de la digestión, que consiste en la masticación y mezcla de los alimentos que se ingieren, y para ello cuenta con dientes y lengua. También se inicia allí el proceso de transformación de los alimentos para poder ser absorbidos, mediante la saliva y los fermentos que contiene (amilasa), que comienzan a disgregar el almidón de los alimentos en moléculas más pequeñas (azúcares).

El esófago. Es el primer órgano hueco del tubo digestivo, que se extiende desde la boca hasta el estómago. El esófago no digiere alimentos, tiene una misión de transporte que se realiza mediante ondas, que son contracciones que aparecen cada vez que se traga, contracciones que son secuenciales y coordinadas y que hacen avanzar el alimento ingerido hacia el estómago.

El esófago tiene una longitud de unos veinticinco centímetros. El esófago, en su unión en la boca con la faringe, tiene una válvula (esfínter esofágico superior) que se abre cuando se traga y después se cierra para evitar el posible paso de alimentos al sistema respiratorio. El esófago, antes de conectar con el estómago, tiene un esfínter (llamado esofágico inferior) que se abre al paso del alimento y después se cierra, para evitar que el contenido del estómago pueda refluir hacia el esófago.

El estómago. Su forma se ha comparado a la de una «gaita gallega» y está separado del esófago por el esfínter esofágico inferior y del duodeno mediante otro esfínter, el píloro. En el estómago se inicia la digestión, mediante el ácido clorhídrico que activa un fermento llamado pepsina, que es capaz de romper las moléculas largas y complejas de las proteínas en partes más pequeñas (péptidos).

Alimentos como la carne, el pescado y el huevo, están formados por moléculas grandes de proteínas, incapaces de ser absorbidas. Para ello, los fermentos gástricos las trocean en péptidos y después los intestinales en fragmentos aún más pequeños, llamados aminoácidos, capaces de ser absorbidos.

Al recibir los alimentos, el estómago inicialmente se relaja, sobre todo su parte más alta (relajación receptiva), para después dejar pasar los alimentos a la porción más baja Allí se inician contracciones que mezclan y trituran los alimentos, hasta convertirlos en papilla, ya que el píloro (válvula situada entre estómago y duodeno) sólo deja pasar partículas con un diámetro inferior a dos milímetros.

Algún lector pensará, ¿qué pasa si me trago, por ejemplo, un hueso de aceituna que tiene más de dos milímetros? La explicación es que, finalizado el proceso de la digestión de

los alimentos (duración unas dos horas) en el tubo digestivo –desde el estómago hasta la unión del intestino delgado
con el colon– se produce una potente contracción que, a
diferencia del período digestivo, abre las válvulas del píloro
y la válvula ileo-cecal (situada entre el intestino delgado y el
colon) y permite el paso de ese hueso de aceituna tragado
(es el llamado «servicio de limpieza del tubo digestivo»), que
será finalmente expulsado con la defecación.

El intestino delgado. Es el segmento más largo y tortuoso
del tubo digestivo, con una longitud de unos cinco metros,
que se acomoda en el centro del abdomen y en él se producen los fenómenos de absorción de los componentes de los
alimentos. Cuando se ingiere verdura, legumbre, pan o carne, estos alimentos no pueden ser absorbidos tal cual, sino
que deben transformarse en moléculas más pequeñas en
el proceso de digestión. Estas moléculas, junto a los mine-
rales, vitaminas y agua, se absorben en el intestino delgado, atraviesan la mucosa y pasan a la sangre, que los distri-
buye a todo el organismo para que sean utilizados por las
células o bien almacenados. Lo que no se ha podido absorber pasa al colon a través de la válvula ileo-cecal. Además,
en el duodeno desemboca la bilis, que procede del hígado,
y el jugo producido por el páncreas (jugo pancreático), que
juegan un importante papel en la digestión.

El intestino grueso o colon. Tiene forma de U invertida y se
sitúa rodeando al intestino delgado (marco cólico). Mide
1,5 metros y, como su nombre indica, tiene mayor diámetro
que el intestino delgado. El colón, sobre todo en su primera
mitad, tiene abundantes bacterias (flora intestinal), capa-

ces de fermentar muchas de las sustancias residuales provenientes del intestino delgado y producir sustancias aprovechables. Además, absorbe gran cantidad de agua, por lo que progresivamente va espesando su contenido, de tal modo que los residuos finales inaprovechables se eliminaran en forma de heces sólidas o semisólidas. La parte final del colon, el recto, es más ancho y sirve de reservorio para almacenar las heces antes de ser expulsadas en el momento socialmente oportuno. Al final del recto hay una válvula, el ano, que tiene un mecanismo de continencia en parte reflejo y en parte voluntario.

El hígado es un órgano compacto, situado en la parte alta y derecha del abdomen. Pesa un kilo y medio y es el verdadero laboratorio y fábrica del organismo, ya que en él se procesan y adaptan los nutrientes absorbidos por el intestino delgado y a la vez se neutralizan y eliminan sustancias tóxicas absorbidas o producidas por el organismo.

Además, produce la bilis, componente imprescindible para la absorción de las grasas. Las moléculas de grasa (presentes en mantequilla, embutidos, aceites, etcétera) son una importante fuente de energía para el organismo. El primer paso para ser absorbida es disolverla en el contenido acuoso del intestino, y esto lo consiguen algunos componentes de la bilis, como los ácidos biliares, que actúan como detergentes y permiten que los fermentos pancreáticos descompongan estas moléculas grandes en otras más pequeñas, (colesterol y ácidos grasos) que pasan al interior de las células intestinales y después, formando moléculas más grandes, llegan a los vasos linfáticos y de ellos a la sangre.

La vesícula es un pequeño saco situado en medio de las vías biliares que tiene como misión concentrar y almacenar la bilis para ser enviada al duodeno mediante un sistema reflejo a través de las **vías biliares**, durante el proceso de la digestión, es decir, cuando es más necesaria su presencia en el intestino.

El páncreas es un órgano en forma de plátano de unos veinte centímetros de largo, que se encuentra por detrás del estómago y por delante de la columna vertebral. Produce la insulina, hormona imprescindible para el metabolismo de los azúcares, pero además produce un jugo alcalino (tiene bicarbonato) que es muy rico en fermentos (amilasa, lipasa, etcétera) capaces de digerir los azucares, los péptidos y las grasas, reduciéndolos a sus componentes más pequeños y con posibilidades de ser absorbidos por las células situadas en la mucosa del intestino delgado.

¿Cómo se puede saber si son normales los diferentes órganos del aparato digestivo o tienen alguna alteración orgánica o funcional?

El médico, ante un paciente que viene a consultar porque piensa o nota que tiene alguna alteración que le hace sentir mal, empieza con la realización de la historia clínica, que consta de varios apartados y que, de forma muy resumida, se pueden clasificar en:

- **Motivo de la consulta** (cuál es el hecho que le ha decidido a consultar)

- **Antecedentes familiares** (recabar información sobre la salud de familiares directos)
- **Antecedentes personales** (enfermedades que ha padecido y si está en tratamiento)
- **Enfermedad actual** (síntomas y signos que han aparecido)
- **Exploración física** (maniobras manuales o instrumentales sencillas)

Con este proceso, el médico se hace una composición de lugar y establece una primera impresión diagnóstica, en la que hay generalmente más de una posibilidad. Para delimitarlas, se realizan una serie de pruebas analíticas e instrumentales, que llevarán al médico a un diagnóstico con más precisión.

La historia clínica bien realizada es un instrumento básico para el diagnóstico y tratamiento de un paciente, instrumento que se complementará con una serie de exploraciones que, a pesar de su importancia y sofisticación, nunca pueden substituir a la historia clínica. Sin embargo, sin ellas, hoy en día el proceso diagnóstico quedaría incompleto.

Los diversos procedimientos o pruebas diagnósticas en patología digestiva están descritos en el anexo II.

2. Enfermedad celíaca
(Intolerancia al gluten de la harina de algunos cereales, fundamentalmente el trigo)

Enfermedad
celíaca

¿Qué es la enfermedad celíaca?

Es una intolerancia permanente a las proteínas del gluten contenidas en la harina de cuatro cereales (trigo, cebada, centeno y avena), que se mantiene de por vida. Provoca una inflamación del intestino delgado que conduce a defectos más o menos importantes en la absorción de ciertas sustancias nutritivas ingeridas, con el consiguiente déficit de algunos elementos, que puede ir desde una malabsorción de hierro que pasa prácticamente desapercibida, hasta verdaderos cuadros de malnutrición (degadez, debilidad, cansancio, etcétera).

La enfermedad afecta a sujetos genéticamente predispuestos, de tal manera que los familiares de primer grado (padres, hijos y hermanos) de pacientes con enfermedad celíaca tienen un riesgo diez veces superior de tener enfermedad celíaca. La concordancia de la enfermedad es de un setenta por ciento en gemelos monocigóticos.

Hasta un veinte por ciento de los pacientes con enfermedad celíaca tiene asociada otra enfermedad de tipo autoinmune que tiene como base la presencia de anticuerpos que agreden a un determinado órgano. Así, no es extraño encontrar en pacientes con enfermedad celíaca alteraciones en tiroides (hipo o hipertiroidismo), diabetes mellitus tipo I, hepatitis autoinmune y otras patologías relacionadas con la alteración de la inmunidad.

¿Es frecuente la enfermedad celíaca?

Hasta hace pocos años se consideraba poco frecuente y que afectaba a niños. Ambas afirmaciones son inexactas. La introducción en 1993 de pruebas analíticas que permiten sospechar con más facilidad --aunque no con seguridad-- la existencia de la enfermedad celíaca, ha permitido aumentar el número de diagnósticos, sobre todo en pacientes poco sintomáticos. Los estudios epidemiológicos han permitido comprobar un aumento de la incidencia de esta enfermedad de hasta diez veces, comparando el año 1950 con el 2000. Estudios recientes en la población general han demostrado que existe una frecuencia aproximada del 1% de la población con enfermedad celíaca y más de la mitad de ellos desconocen estar enfermos. Por otro lado, en la actualidad, entre el 10% y el 20% de los diagnósticos de enfermedad celíaca se hacen a pacientes de más de 60 años.

Para que aparezca la enfermedad es imprescindible la ingesta de gluten en un individuo genéticamente predispuesto e identificado en el sistema HLA-II de histocompatibilidad de los leucocitos. El 90% de pacientes tienen positivo el marcador HLA-DQ2 y el 8% el HLA-DQ8. Por tanto, prácticamente el 100% de los pacientes con enfermedad celíaca tienen estos marcadores genéticos que se diagnostican con un análisis de sangre. Ahora bien, tan sólo el 2% de los sujetos que tienen el HLA-DQ2 o el HLA-DQ8 positivos desarrollarán la enfermedad. Por tanto, la presencia de este gen es condición necesaria, pero no suficiente, para que la enfermedad se desarrolle. La ausencia, tanto del HLA-DQ2 como del HLA-DQ8, hace que la probabilidad de tener la enfermedad celíaca sea prácticamente nula.

¿Qué síntomas produce?

Es obligado indicar la forma más típica y clásica de presentación de la enfermedad celíaca, aunque hoy en día se diagnostican casi el mismo número de pacientes con enfermedad celíaca con síntomas menos específicos o incluso con manifestaciones en otros órganos independientes del tubo digestivo.

• Los síntomas típicos son: diarrea crónica –el más frecuente y presente en el 60% de los pacientes– pérdida de peso, cansancio y distensión abdominal. Todos ellos son a consecuencia de la dificultad de absorber los nutrientes por la alteración existente en el intestino delgado.

• Los síntomas atípicos son: anemia ferropénica (falta de hierro), el más frecuente entre los atípicos y el único síntoma en el 10% de los celíacos, transaminasas altas (enzimas del hígado) sin causa aparente que las justifiquen, dermatitis herpetiforme (afección crónica de piel caracterizada por vesículas, lesiones erosivas que a veces llegan a úlceras profundas localizadas en espalda, codos, glúteos, cuero cabelludo y rodillas, que dan picor), psoriasis, dispepsia, caída de pelo exagerada, osteoporosis y, en mujeres en edad fértil, infertilidad o abortos recurrentes (véase tabla 2.1.).

- La enfermedad celíaca es una intolerancia permanente al gluten (componente proteico de trigo, centeno y cebada).
- El gluten desencadena en personas genéticamente predispuestas una activación de los linfocitos TCD4 del intestino.
- Esta activación de linfocitos provoca lesiones en el intestino (atrofia de las vellosidades de su pared) que dificultan la absorción de los alimentos.
- La identificación de la enzima transglutaminasa celular (es un antígeno) y la posibilidad de la detección de sus anticuerpos permite diagnosticar la enfermedad celíaca con una sensibilidad y especificidad del 90%.
- Sin embargo, cuando no hay atrofia de las vellosidades (Marsh I, II), la sensibilidad de este fácil análisis decae al 30-40%.

Tabla 2.1. Enfermedad celíaca

Entre las presentaciones atípicas, se deben incluir los diagnósticos de la enfermedad hechos, no tanto por síntomas, a veces poco evidentes, sino con motivo de estudios realizados en familiares de primer grado de pacientes con enfermedad celíaca o en pacientes con diabetes tipo I, alteraciones de transaminasas sin motivo aparente, presencia de hepatitis autoinmunes, etcétera, ya que es bien demostrada una mayor frecuencia de la enfermedad celíaca asociada a estas patologías (véase tabla 2.2.).

- **Familiares de primer grado de pacientes con enfermedad celíaca**
- **Pacientes con:**
  - **Anemia de origen desconocido**
  - **Fatiga crónica**
  - **Síndrome de Intestino Irritable**
  - **Enfermedades tiroideas (Tiroiditis autoinmune)**
  - **Diabetes Mellitus tipo 1**
  - **Síndrome de Sjögren o síndrome seco**
  - **Hepatitis autoinmune y cirrosis biliar primaria**
  - **Síndrome de Down**

Tabla 2.2. Enfermedad celíaca. Grupos de riesgo a investigar aunque sean poco sintomáticos

¿Cómo se hace el diagnóstico?

El médico puede llegar a sospechar la presencia de enfermedad celíaca ante la constatación en la historia clínica de episodios relativamente frecuentes de nauseas, vómitos, malestar e hinchazón abdominal y alteración en el hábito intestinal, sobre todo diarrea. A veces, por la presencia de anemia ferropénica que no mejora con el tratamiento con hierro oral, a veces por retraso en el crecimiento de adolescentes, a veces por transaminasas altas de origen desconocido y, obviamente, ante la presencia de los síntomas más típicos como diarrea (con heces llamadas esteatorreicas, más brillantes por su alto componente en grasas): pérdida de peso, decaimiento y distensión abdominal.

El diagnóstico se sospecha mediante la determinación en sangre de los anticuerpos antitransglutaminasas, que han substituido a los antiendomisio y antigliadina, ya que aquellos son tan sensibles o más que estos últimos, y además menos costosos y más fáciles de determinar. Esta prueba analítica ha facilitado en los últimos años la posibilidad de hacer el diagnóstico, ya que simplemente se trata de una extracción de sangre habitual. Anteriormente el diagnóstico sólo se podía hacer mediante biopsia intestinal y, por tanto, el médico sólo la solicitaba ante una sospecha evidente-x. Si los anticuerpos antitransglutaminsa son positivos, se puede completar el estudio analítico con la determinación en sangre de los antígenos HLA-DQ2 y HLA-DQ8, ya que su posible negatividad prácticamente descarta la enfermedad celíaca. Recordemos que casi el cien por cien de los pacientes celíacos tienen estos antígenos en su sangre).

La estrategia más aceptada para descubrir pacientes con enfermedad celíaca, con pocos o incluso sin síntomas, pasa por investigar los anticuerpos antitransglutaminasas a los familiares de primer grado de pacientes con celiaquía, pacientes con anemia, fatiga, síntomas de colon irritable y enfermedades tiroideas.

En los casos con síntomas digestivos se puede realizar un tránsito con papilla de bario. En las radiografías se demuestra dilatación de las asas intestinales y una distribución anormal del bario dentro de dichas asas.

Sin embargo, y a pesar de la elevada sensibilidad de las pruebas analíticas y radiológicas descritas, para conseguir el diagnóstico con seguridad, la gran mayoría de los autores creen que se debe realizar una biopsia duodenal con gastroscopia, que sólo se hace –salvo contadas excepciones– en pacientes cuyos análisis muestran anticuerpos antitransglutaminasa y antígenos DQ2 y DQ8 positivos. El estudio histológico de la biopsia permite clasificar el grado de afectación en cuatro estadios, siguiendo los criterios de Marsh.

- Estadio 0, mucosa duodenal normal, no hay enfermedad.
- Estadio 1, discreto aumento de linfocitos.
- Estadio 2, infiltrado inflamatorio de mucosa y submucosa (capa que hay por debajo).
- Estadio 3, aparece la manifestación histológica más típica, la atrofia de mucosa y específicamente de sus vellosidades (parte más superficial). (Véase figura 2.1.)

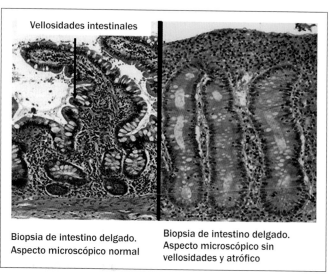

Vellosidades intestinales

Biopsia de intestino delgado. Aspecto microscópico normal

Biopsia de intestino delgado. Aspecto microscópico sin vellosidades y atrófico

Figura 2.1. Biopsia de intestino delgado

¿Por qué es importante el diagnóstico de la enfermedad celiaca en sujetos con pocos síntomas?

Ni que decir tiene la importancia del diagnóstico en pacientes con síntomas acusados (diarrea crónica, pérdida de peso, malnutrición, etcétera). Con la exclusión estricta del gluten en la dieta, la enfermedad se cura en un altísimo porcentaje. Pero, incluso en sujetos con pocos síntomas, es importante hacer el diagnóstico e indicar dieta sin gluten, ya que la enfermedad celíaca no tratada provoca anemia, fatiga, cansancio, decaimiento, osteoporosis, aumenta la posibilidad de tener linfoma intestinal (tumor) y se ha demostrado un mayor riesgo de mortalidad, circunstancias que desaparecen a los pocos meses de seguir una dieta sin gluten. De todas maneras, hay que reconocer la dificultad de seguir dieta sin gluten por parte de pacientes que casi no tienen síntomas, sobre todo teniendo en cuenta que la dieta debe ser de por vida (véase tabla 2.3.).

- Disminuir riesgo de linfomas (tumor maligno del intestino delgado) asociado a la enfermedad celíaca, riesgo que desaparece con la dieta sin gluten.
- Prevención de osteoporosis (por defecto de absorción del calcio).
- Disminuir posibilidad de tener enfermedades autoinmunes asociadas (tiroiditis, artritis reumatoide, síndrome de Sjögren o síndrome seco, etcétera).
- Posibilidad de una cierta mejoría de síntomas abdominales inespecíficos y posibilidad mejoría de estado general.

Tabla 2.3. Consecuencias de la dieta sin gluten para pacientes con enfermedad celíaca y con pocos síntomas, o incluso sin sintomas

¿Cuál es su tratamiento?

La evidencia de que la enfermedad celíaca la desencadenaba el gluten se la debemos al pediatra holandés W. K. Dicke. En 1950 demostró que los trastornos de la enfermedad celíaca se producían cuando los niños ingerían alimentos que contenían harina de trigo y centeno, y que mejoraban con su exclusión de la dieta.

La dieta sin gluten no sólo consigue la desaparición de los síntomas, sino que también consigue una recuperación completa de las lesiones producidas en el intestino, de tal modo que si se practica una nueva biopsia duodenal a los 6-12 meses, la mucosa intestinal ha vuelto a la completa normalidad histológica. Si se hace un análisis de sangre, la dieta exenta de gluten también hace desaparecer los anticuerpos antitransglutaminsas, dato que se puede utilizar como control de dieta bien realizada. En el caso de que se haya hecho el diagnóstico en fases avanzadas de la enfermedad, con deterioro del estado general del paciente por malabsorción acumulada durante meses o años, es conveniente, además de iniciar la dieta sin gluten, hacer una aportación extra de oligoelementos y vitaminas que ayuden a una recuperación más rápida.

Por tanto, la enfermedad celíaca es una de las pocas enfermedades que se tratan tan sólo con una dieta adecuada. El problema viene dado por la dificultad de realizarla, aun en el supuesto de tener una voluntad inequívoca de seguirla. Esto es debido a que:

1. La harina de trigo se usa como espesante en numerosos productos elaborados, como conservas, embutidos, chocolates, helados, *foie-gras*, conservas, etcétera.

2. En los envases de muchos alimentos manufacturados no consta su composición exacta. Esta falta de precisión en la legislación alimentaria actual hace difícil conocer si un alimento lleva o no gluten. Por ello, a veces el paciente no consume, por precaución exagerada, alimentos que puede tomar y otras veces toma sin querer aquellos que no debiera consumir.

3. A veces el gluten es un componente inactivo de algunos medicamentos, sin que aparezca la necesaria advertencia, aunque conste su presencia en la formulación.

4. Hay pocas panaderías que tengan pan, galletas o dulces hechos con harina de maíz y que observen las precauciones necesarias para evitar contaminaciones de harina de trigo. Además, los alimentos sin gluten son mucho más costosos.

5. Hay pocos restaurantes que tengan carta para pacientes con enfermedad celíaca.

Puntos clave:

- La enfermedad celíaca es una intolerancia permanente a las proteínas del gluten, contenidas en la harina de cuatro cereales –trigo, cebada, centeno y avena– que se mantiene durante toda la vida, que provoca inflamación en el intestino delgado y que conduce a defectos en la absorción de ciertas sustancias nutritivas.
- Para que aparezca la enfermedad, es imprescindible la ingesta de gluten en un individuo genéticamente predispuesto e identificado en el sistema HLA-II de histocompatibilidad de los leucocitos. El 90% de pacientes tienen positivo el HLA-DQ2 y alrededor del 8% el HLA-DQ8.
- Los síntomas típicos son: diarrea crónica –el más frecuente, en el 60% de pacientes– pérdida de peso, cansancio y distensión abdominal.
- Los síntomas atípicos son: anemia ferropénica (falta de hierro), transaminasas altas sin causa aparente que lo justifique, dermatitis herpetiforme (afección crónica de la piel con vesículas, lesiones erosivas), psoriasis, dispepsia, caída de pelo, osteoporosis y, en mujeres, infertilidad o abortos recurrentes.
- Sospecha diagnóstica: análisis anticuerpos antitransglutaminasas. El diagnóstico de segu-

ridad mediante biopsia duodenal por gastroscopia se hace en pacientes con anticuerpos
antitransglutaminasa y con antígenos DQ2 y
DQ8 positivos.
- La dieta sin gluten no sólo consigue la desaparición de los síntomas, sino también la recuperación completa de las lesiones producidas en
el intestino.

3. Enfermedad inflamatoria intestinal

Enfermedad de Crohn. Colitis ulcerosa

¿Qué se entiende por enfermedad inflamatoria intestinal?

Las enfermedades inflamatorias intestinales –enfermedad de Crohn y colitis ulcerosa– son alteraciones de origen desconocido que provocan inflamación y ulceraciones en el tubo digestivo. En el Crohn, preferentemente en el intestino delgado y el colon, y en la colitis ulcerosa, casi exclusivamente en el colon. Pueden empezar a cualquier edad, pero son más frecuentes en jóvenes. No son enfermedades contagiosas.

La enfermedad de Crohn (nombre del primer médico que describió esta enfermedad) es una enfermedad crónica, de curso individual difícilmente predecible que suele evolucionar a brotes, es decir, hay períodos con síntomas continuos y hay períodos, que pueden ser largos, en que la enfermedad no se manifiesta. Así pues, una notable proporción de pacientes tienen una buena calidad de vida durante gran parte de su vida, pero sabiendo que puede aparecer un nuevo brote. Este hecho no debe representar para el paciente su hundimiento moral y psíquico, sino que debe aceptarlo como parte del proceso normal de su enfermedad, que es benigna pero comporta la necesidad de tratamiento para el control y curación del brote.

Sin embargo, no informaríamos honestamente si no reconociéramos que los períodos de brote comportan molestias y dificultades para el paciente que pueden interferir en su vida social y laboral normal. Aunque puede afectar a cualquier parte del tubo digestivo, lo más frecuente es que la enfermedad se localice en el intestino delgado, sobre todo la parte final (íleon terminal), que conecta con el colon (véase figura 3.1.). Algunas veces afecta al intestino delgado y al colon y otras sólo al colon. La enfermedad es parcheada, es decir, hay tramos afectados y tramos libres de enfermedad.

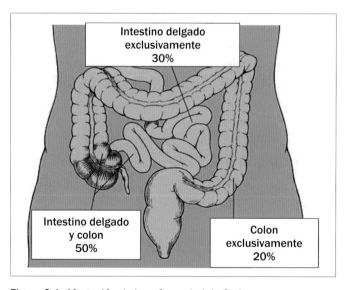

Figura 3.1. Afectación de la enfermedad de Crohn

En **la colitis ulcerosa** la inflamación y las ulceraciones afectan al colon. En algunos pacientes hay una leve afectación del íleon terminal. La extensión de las lesiones es variable, de tal manera que hay pacientes en los que la afectación se limita al recto (proctitis ulcerosa) y hay pacientes en que se extiende a otras zonas del colon e incluso pueden llegar a afectar todo el colon (pancolitis). Las lesiones suelen ser continuas, es decir, se inician en el recto, junto al ano, y llegan hasta el límite superior afectado, sin zonas intermedias sanas, como ocurre en la enfermedad de Crohn, en que la afectación es parcheada.

La colitis ulcerosa, como la enfermedad de Crohn, es una enfermedad crónica, que suele evolucionar a brotes y es de curso individual poco predecible. Hay pacientes que inician su enfermedad con proctitis (afectación exclusiva del recto) y en los nuevos brotes, si es que ocurren, se mantiene localizada en el recto. Sin embargo, en otros pacientes la enfermedad se extiende a otros segmentos del colon. Otros pacientes tienen colitis más extensas ya desde el primer brote de la enfermedad.

¿Qué síntomas produce la enfermedad inflamatoria intestinal?

Tanto en la enfermedad de Crohn como en la colitis ulcerosa hay síntomas *digestivos* y manifestaciones *extraintestinales*. En el niño, además de los síntomas, se debe destacar el retraso del crecimiento, que puede ser el primer signo de enfermedad, y en los adolescentes, el retraso en la aparición de los signos de la pubertad.

Enfermedad
inflamatoria
Intestinal

Las manifestaciones extraintestinales son comunes a ambas enfermedades y son:

- Cutáneas:
  - Eritema nodoso. Nódulos debajo la piel de 1-5 centímetros, dolorosos y calientes, que aparecen en las piernas en el 10% de los casos.
  - Pioderma gangrenoso. Úlceras indoloras de bordes violáceos y fondo negruzco (2%).
  - Aftas en la boca. Más frecuentes, pero también presentes en la población control.

- Oculares:
  - Epiescleritis. Ojo rojo y sensación de cuerpo extraño.
  - Uveitis. Inflamación del ojo, con dolor ocular y visión borrosa.

- Manifestaciones óseas y articulares:
  - Osteoporosis. Menor resistencia ósea, incremento en el riesgo de fracturas.
  - Artritis periféricas. Dolor e hinchazón en articulaciones (rodilla, muñeca).
  - Espondilitis anquilosante. Lumbalgia y rigidez. A veces, ciática.
  - Sacroileitis. Es más frecuente, pero con pocos síntomas.

- Manifestaciones hepáticas y biliares:
  - Colangitis esclerosante. Inflamación de los conductos biliares. Aparece en el 2% al 4% de casos.

— Hepatitis autoinmume. Infrecuente. Afectación del hígado por autoinmunidad.

Las manifestaciones intestinales presentan algunas diferencias según tipo de enfermedad:

Enfermedad de Crohn. Los síntomas más frecuentes son: dolor abdominal y diarrea, a veces fiebre, sangre en heces (sobre todo en la afectación de colon), pérdida de peso, cansancio, decaimiento y anemia (malabsorción de nutrientes si se afecta el intestino delgado).

Los síntomas son variables en cuanto a su aparición e importancia, según pacientes, brotes y localización de la enfermedad. Se han elaborado varios índices para cuantificar su actividad. El más utilizado es el CDAI (Crohn Disease Activity Index), que consta de siete parámetros clínicos (número de deposiciones/día, fiebre, dolor abdominal, etcétera) y uno analítico (presencia o no de anemia). Un CDAI inferior a 150 indica inactividad de la enfermedad, 150-250 brote leve, 251-350 brote moderado y más de 350 brote grave.

Los síntomas son inespecíficos, por lo que se requieren exploraciones para establecer el diagnóstico. En un 25% de los casos la enfermedad produce complicaciones en el ano, como abscesos (bulto con pus, doloroso hasta que se abre espontáneamente o mediante cirugía), fístulas (en el conducto que comunica el intestino con la piel del ano y a veces con la de la vagina, escroto, etcétera), fisuras, etcétera. La afectación anal es más frecuente cuando la enfermedad se localiza en el colon.

Enfermedad
inflamatoria
Intestinal

Colitis ulcerosa. Los síntomas más frecuentes son la aparición de sangre en las heces (rectorragia) y diarrea. Estos dos síntomas pueden acompañarse de dolor abdominal, (habitualmente leve y, en casos más serios, de fiebre y pérdida de peso. Al estar afectado siempre el recto, es bastante común la presencia de malestar en la región recto-anal, como sensación de evacuación incompleta (tenesmo) y urgencia deposicional (necesidad imperiosa de evacuar que a veces llega a provocar incontinencia).

Cuando la afectación rectal es intensa provoca la necesidad de emisión frecuente de pequeñas cantidades de moco y sangre, con escasa o nula presencia de heces («esputo rectal»). No hay ningún síntoma ni signo que sea típico y exclusivo de la enfermedad. Por ello, se realizan exploraciones (colonoscopia, fundamentalmente) como medio para llegar al diagnóstico. En la colitis ulcerosa es rara la aparición de afectación anal y perianal, como ocurre en la enfermedad de Crohn.

¿Se conoce la causa que provoca estas enfermedades?

Son enfermedades provocadas por alteración de la inmunidad, es decir, de las defensas del organismo. En un momento determinado y por causa o causas hasta el momento desgraciadamente desconocidas, la inmunidad del organismo de un individuo se trastoca y arremete contra su propio intestino, como si fuera ajeno, provocándole inflamación.

Hay indicios suficientes para asegurar que hay una cierta predisposición genética (hay familias que tienen varios miembros afectados). A título de información y a la vez de curiosidad, el hábito del tabaco perjudica la evolución de la enfermedad de Crohn y parece ofrecer un cierto beneficio en la colitis ulcerosa. Sin embargo, este discreto beneficio no compensa en absoluto los perjuicios bien establecidos y conocidos inherentes al hábito. Por tanto, hay que intentar erradicar este hábito de nuestra sociedad, en general y también en los pacientes con colitis ulcerosa.

¿Cómo se hace el diagnóstico?

Enfermedad de Crohn. El médico, con los datos del interrogatorio y de la exploración física, indicará la realización de pruebas complementarias analíticas y morfológicas. Entre las primeras, análisis que valoran el estado general del paciente (hemograma, hierro, proteínas, etcétera) y el grado de inflamación (velocidad de sedimentación y Proteína C Reactiva o PCR).

Las pruebas morfológicas –objetivar con radiografías o endoscopia las partes enfermas– se realizarán, según la sospecha que se tenga por los síntomas en cuanto a la zona con más posibilidades de estar afectada. Si hay dolor y diarrea sin sangre ni vómitos, el médico indicará un tránsito intestinal con papilla de bario, por ser más probable la afectación del intestino delgado. Si hay rectorragias (sangre en heces) junto con diarrea (más probabilidad de afectación del colon), el médico se decantará por solicitar primeramente una colonoscopia, lo que además permitirá la práctica de biopsias (toma de muestras para el análisis de la mucosa del colon al microscopio), que ayudarán en gran medida a establecer el diagnóstico (véase figura 3.2.). A veces son necesarias otras exploraciones como gastroscopia, TAC, etcétera.

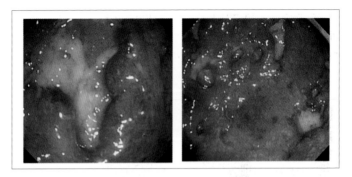

Figura 3.2. Úlceras de enfermedad de Crohn en el colon

Para valorar la existencia de enfermedad perianal (fístulas y/o abscesos), la exploración mas recomendada es la ecografía endoanal y endorrectal, que mostrará el tamaño y trayectos fistulosos, así como la integridad anatómica de los esfínteres del ano. La resonancia magnética nuclear de la zona es útil en pacientes con abscesos graves y con síntomas recurrentes resistentes al tratamiento.

Colitis ulcerosa. Al localizarse exclusivamente en el colon y el recto, el diagnóstico de esta enfermedad es menos complejo que el de la enfermedad de Crohn. Una vez que el médico sospecha, a través del interrogatorio y la exploración física, que el paciente puede tener una colitis ulcerosa, primero intenta excluir que se trate de una colitis infecciosa, que a veces puede provocar úlceras en colon. Para ello, en los análisis se pedirán los mismos parámetros indicados ante la sospecha de enfermedad de Crohn y además se hará coprocultivo (cultivo de gérmenes en heces) y estudio de parásitos en heces. Después se realizará una colonoscopia mediante la que se podrá conocer el aspecto de la mucosa recto-cólica y se tomarán biopsias para el estudio al microscopio, lo cual confirmará o no la sospecha diagnóstica en la mayoría de los casos (véase figura 3.3.).

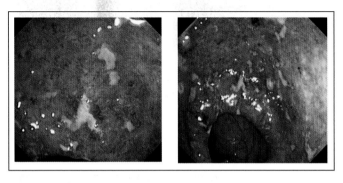

Figura 3.3. Úlceras de enfermedad de colitis ulcerosa

La enfermedad inflamatoria intestinal y la descendencia

Es una enfermedad que es más frecuente en edades tempranas de la vida y que tiene una evolución crónica. Por ello, en ocasiones se plantea la posibilidad de descendencia y la pregunta es si esta circunstancia conlleva un incremento significativo de riesgo para las pacientes y el futuro hijo. La influencia de la enfermedad inflamatoria en la procreación se puede contemplar desde los siguientes aspectos.

- Los pacientes con enfermedad inflamatoria intestinal —hombres y mujeres— tienen la misma fertilidad que la población no afectada, y las mujeres no tienen más riesgo de aborto.

- Las mujeres con enfermedad inflamatoria intestinal tienen niños sanos y la enfermedad no ejerce efectos adversos sobre el feto.

- Fármacos como *sulfasalazina* (*Salazopirina®*) pueden provocar alteraciones en los espermatozoides del varón que son reversibles a los dos meses de abandonar la medicación. Éste no es un problema importante, ya que los nuevos salicilatos —alternativas a la *sulfasalazina* como *mesalazina* (*Pentasa®, Claversal®, Lixacol®*)— no producen estas alteraciones, ni tampoco suponen riesgo para el feto.

- La pareja «programará» el embarazo en la fase inactiva de la enfermedad de la mujer. Desde tres meses antes dejará de tomar fármacos como los *anti-TNF y metotrexate,* pero no es preciso dejar de tomar los inmunosupresores, como la *azatiopirina* (*Imurel®*) o los corticoides, ya que no perjudican al feto.

- La posibilidad de que la mujer tenga un brote de colitis ulcerosa durante el embarazo es la misma que sin él. Si surge, su control no es más dificultoso. Sin embargo, si el embarazo se produce durante un brote activo de colitis ulcerosa, el control de la enfermedad es más complejo.

  En la enfermedad de Crohn el embarazo no es peligroso, pero el control de la enfermedad es más dificultoso. Ante la existencia de enfermedad perianal se recomienda realizar cesárea por la posibilidad de perjudicar aún más las lesiones anales y perianales existentes.

Por último, la probabilidad de que el bebé tenga una de estas enfermedades es del orden del cinco por ciento cuando la enfermedad la tiene uno de los dos miembros de la pareja, pero se incrementa hasta un veinte por ciento en el caso de que ambos progenitores la sufran. Se trata de un riesgo de consideración para ser tenido en cuenta en la decisión de tener o no descendencia directa y para pensar en alternativas como la adopción.

La enfermedad inflamatoria intestinal y el cáncer de colon

El cáncer colorrectal es la enfermedad maligna más común en el mundo desarrollado con una incidencia del cuatro por ciento en la población general. El cáncer colorrectal está aumentando, mientras disminuye el gástrico. Los pacientes con enfermedad inflamatoria intestinal —enfermedad de Crohn del colon, colitis ulcerosa— tienen un discreto incremento del riesgo de tener cáncer colorrectal, que sólo se considera significativo en afectaciones extensas de colon y tras más de diez años de evolución de la enfermedad. El riesgo de padecer cáncer es del 6% a los 20 años de enfermedad y del 10% a los 30 años. Son porcentajes a tener en cuenta, pero es bueno enfocarlo desde el punto de vista positivo: la mayoría de los pacientes —más del 90%— con enfermedad inflamatoria intestinal de colon no desarrollarán nunca un cáncer colorrectal.

Debido a este mínimo, pero real, aumento en la incidencia de cáncer de colon se ha recomendado la colonoscopia con toma de muestras de biopsia para detectar posible displasia —lesión con potencial de malignidad— en pacientes con extensas afectaciones de colon por la enfermedad a partir de los diez años desde primer brote, con el objetivo de detectar precozmente la posibilidad de tener cáncer colorrectal.

Como se verá en el capítulo correspondiente, la curación global del cáncer colorrectal es del 50%, pero si se diagnostica precozmente en programas de prevención, como el que se propone en la enfermedad inflamatoria intestinal, la curación sobrepasa el 75%. No hay consenso en cuanto a la periodicidad preventiva de la colonoscopia, pero parece razonable realizarla cada año en caso de displasia, cada tres años si en las biopsias no aparece displasia, y siempre a partir de los diez años de evolución de la enfermedad.

Tratamiento de la enfermedad inflamatoria intestinal

a) Dieta

En la enfermedad de Crohn está afectado tanto el intestino delgado como el grueso o colon, y en la colitis ulcerosa lo está el colon y recto. El intestino tiene un importante papel en la absorción de sustancias nutritivas –sobre todo el delgado–y, por tanto, no es de extrañar que su alteración pueda, en casos extensos, repercutir sobre el estado de nutrición del paciente, sobre todo en la enfermedad de Crohn de intestino delgado.

Además, en las fases de brote de la enfermedad el paciente pierde el apetito. A veces las comidas provocan más malestar, el paciente está menos activo y, por tanto, es lógico que poco a poco disminuya el contenido de su alimentación, lo que le lleva lenta pero inexorablemente a la desnutrición, circunstancia negativa que se ha de intentar evitar.

Hay que conseguir que el paciente haga una dieta variada y libre (hay pocos alimentos que no se puedan tomar) y no descuide el consumo de proteínas. En las fases de brote de la enfermedad hay proteínas que se pierden a través de las secreciones producidas en el intestino inflamado y se eliminan por las heces. Por tanto, es recomendable consumir alimentos ricos en proteínas, como pescado (especialmente bueno por su fácil digestión), huevos, carne (que, además, contiene hierro para prevenir la anemia), legumbres (ricas en proteínas vegetales) y derivados lácteos (ricos en calcio para prevenir la osteoporosis).

¿Pueden tomar leche los pacientes con enfermedad inflamatoria intestinal?

Está extendida la opinión de que se debe evitar el consumo de leche en la enfermedad inflamatoria intestinal, sobre todo en la fase de brote. Esta opinión es compartida por algunos médicos, aunque no hay pruebas científicas que la apoyen.

Sin embargo, hay que considerar que en España el veinticinco por ciento de las personas sanas y los pacientes con enfermedad inflamatoria intestinal no toleran bien la leche, ya que no se absorbe adecuadamente en el intestino delgado. Uno de sus componentes, el azúcar llamado lactosa, no se absorbe bien en el intestino delgado y llega al colon, donde es fermentado por bacterias intestinales provocando diarrea y gases.

Enfermedad
inflamatoria
Intestinal

47

Por tanto, teniendo en cuenta esta posibilidad, tan sólo se debe limitar el consumo de leche durante los brotes de la enfermedad y en pacientes en que aumente la diarrea cuando la toman. No obstante, no se ampliará esta limitación a derivados de la leche, como yogur y queso, que tienen un contenido muy inferior de lactosa. Además, no es necesario que sean descremados o semi-descremados, ya que la grasa se tolera y, por otra parte, se ingieren las calorías necesarias para mantener la adecuada nutrición.

Como conclusión, la retirada indiscriminada de la leche y sus derivados no está justificada en los pacientes con enfermedad inflamatoria intestinal, sobre todo en fases inactivas de la enfermedad, aunque ha sido hasta hace poco una práctica habitual. En los casos de intolerancia a la lactosa (lo cual se puede saber mediante prueba del aliento) se puede y se debe consumir yogur y queso para prevención y control de la osteoporosis.

¿Pueden consumir alimentos ricos en fibra los pacientes con enfermedad inflamatoria intestinal o bien se deben evitar las verduras, ensaladas, frutas, legumbres?

En los brotes de la enfermedad (diarrea, dolor abdominal, rectorragias, etcétera), se recomienda seguir una dieta pobre en fibras o, lo que es lo mismo, pobre en residuos. Recordemos que se entiende por fibra dietética un conjunto de sustancias contenidas en los vegetales —legumbres, frutas, verduras, cereales, sobre todo integrales— que el intestino humano no es capaz de digerir y que llegan íntegras al intestino grueso o colon.

La fibra puede ser «insoluble y no fermentable» o «soluble y fermentable». La primera se encuentra en el salvado, los alimentos integrales y la celulosa de vegetales «duros», como la alcachofa, el espárrago, la col, la coliflor, etcétera. Es el componente más voluminoso del bolo fecal y absorbe agua, lo cual es útil para combatir el estreñimiento. La fibra «soluble fermentable» se encuentra en las legumbres y es buena para el organismo, ya que fermenta en el colon y se descompone en una serie de sustancias (butirato) necesarias para las células de colon. Además, parece que disminuye la inflamación y que tiene un cierto efecto protector para el cáncer de colon. Tiene el inconveniente de que es flatulenta y provoca más gases en el intestino.

Por tanto, se recomienda un consumo normal de fibra en las fases inactivas de la enfermedad, sobre todo si en estas fases el paciente tiene tendencia al estreñimiento. Incluso no hay inconveniente en añadir, si hace falta, suplementos de fibra como *Plantaben®, Cenat®, Metamucil®, Metil celulosa®*. Hay una excepción: cuando la enfermedad de Crohn haya producido estenosis (estrecheces), se debe evitar la fibra «insoluble no fermentable», aunque se esté en fase inactiva, ya que podría favorecer la aparición de una obstrucción intestinal.

¿Cuándo está indicada la alimentación enteral (por sonda) o parenteral (en vena)?

En los escasos brotes agudos de la enfermedad que necesitan ingreso hospitalario hay que recurrir a veces a la alimentación enteral (por sonda naso-gástrica y con produc-

Enfermedad
inflamatoria
Intestinal

tos diseñados para ella) o parenteral (por vía venosa). Este tipo de alimentación no tan sólo cumple con el objetivo de mantener al paciente nutrido, sino que además, al poner el intestino en reposo, puede conseguir por sí sola la remisión de la enfermedad o por lo menos contribuir a su curación.

b) Tratamiento médico

La enfermedad inflamatoria intestinal es crónica y recurrente, de causa desconocida y, como consecuencia de ello, no hay un tratamiento definitivamente curativo. Una vez aceptada esta realidad, se puede asegurar que gran parte de los pacientes pueden realizar vida prácticamente normal, con brotes esporádicos que se cortan en pocas semanas.

El objetivo más difícil es mantener la remisión conseguida en la fase aguda de brote. A continuación se hará un resumen de las posibilidades terapéuticas sin ánimo de ser exhaustivos, ya que el tratamiento con fármacos siempre debe ser indicado y controlado por el médico.

Enfermedad de Crohn

• Corticosteroides

Para el tratamiento del brote agudo, prednisona (Dacortin®), o metil-prednisolona (Urbason®), son los esteroides más utilizados a dosis de 0,5 -1 miligramos por kilo de peso al día de prednisona o su equivalencia de metil-prednisolona (4 miligramos de metilprednisolona = 5 miligramos de prednisona), durante unos dos meses. Es muy eficaz, y en períodos cortos son poco importantes los efectos secundarios. Se deben dar por vía oral, salvo en brotes muy serios que precisan ingreso hospitalario que se dan por vía venosa.

Alrededor del treinta por ciento de los pacientes se muestran resistentes al tratamiento. No se deben utilizar los corticoides para prevenir brotes, por sus considerables efectos secundarios a largo plazo: hipertensión arterial, hiperglucemia, osteoporosis, cataratas y retraso del crecimiento. Otros efectos menos graves son hirsutismo (incremento del vello), acné, estrías cutáneas y redistribución de la grasa corporal.

La *budesonida* es un corticoide sintético que se inactiva por un fenómeno de primer paso hepático, motivo por el que posee menores efectos sistémicos. La presentación oral de *budesonida (Entocord®)* está recubierta por dos capas de etilcelulosa y resina acrílica que permiten su liberación en el íleon terminal y colon proximal. Sólo tiene eficacia en estas localizaciones de la enfermedad.

- *Sulfasalazina* (*Salazopina®*) y *mesalazina* (*Pentasa®*, *Claversal®*, *Lixacol®*)
Son utilizadas en el tratamiento de mantenimiento para intentar evitar los frecuentes brotes. Parece tener más eficacia la *mesalazina,* que consigue disminuir la frecuencia de los brotes. Al cabo de un año la probabilidad de un nuevo brote es del setenta por ciento sin tratamiento y del cincuenta por ciento con *mesalazina.* Aunque son poco frecuentes, pueden aparecer leves efectos adversos, como décimas de fiebre, náuseas, vómitos, cefalea, dolor en el estómago, diarrea, dolores articulares y distintas manifestaciones cutáneas.

- Inmunomoduladores. Tiopurinas
Modulan la inmunidad del organismo y, con ello, se consigue una prevención frente a nuevos brotes. Se prescriben también como complemento de la *prednisona* en la fase de brote en pacientes que necesitan altas dosis para su control, con lo que se consigue disminuir la dosis de prednisona.

Es conveniente, pero no imprescindible, realizar antes de su prescripción una medición sanguínea de la enzima tiopurin-metiltransferasa (TPMT), ya que en los pocos pacientes en que está disminuida la dosis necesaria es muy inferior a la normal, y sobrepasarla podría producir efectos tóxicos considerables.

Los inmunomoduladores más utilizados son *azatioprina* (*Imurel*®) y *6-mercaptopurina*. Se producen reacciones alérgicas o hipersensibilidad a las tiopurinas en un 5-10% de pacientes. Suelen aparecer en las primeras semanas y son poco frecuentes después de dos meses. Entre los efectos adversos podemos citar pancreatitis, afectación hepática, síndrome «flu-like» o «pseudogripal» (malestar general, fiebre, decaimiento, dolor articular) e intolerancia digestiva (náuseas, vómitos, dolor de estómago y abdominal). Desaparecen tras la retirada del fármaco y se considera contraindicada su reintroducción.

En la enfermedad de Crohn se ha evaluado la eficacia de *metotrexato* (*Metotrexato Lederle*®, *Metoject*®), para inducir remisión. Hay datos suficientes que apoyan su uso, por lo que es una alternativa válida en caso de falta de respuesta o intolerancia a las tiopurinas.

- Tratamiento biológico (anticuerpos monoclonales recombinantes)

Los avances en el conocimiento de la inflamación en la enfermedad inflamatoria intestinal han permitido en los últimos años la aparición de nuevas terapias biológicas dirigidas a bloquear los procesos de la inflamación.

Infliximab (Remicade®), en infusión endovenosa, ha demostrado su eficacia en inducir la remisión de la enfermedad en pacientes que no respondían a los tratamientos anteriormente indicados. Consigue una respuesta global del 70% y también ha demostrado eficacia en mantener la remisión. Por tanto, la indicación de *infliximab* se hace en los casos de enfermedad de Crohn activa e importante y en pacientes que no han respondido al tratamiento con corticoides e inmunomoduladores, o que sean intolerantes a ellos o que tengan contraindicaciones médicas a estas terapias. Especial importancia tiene la indicación en la enfermedad de Crohn fistulizante (tanto en la afectación perianal como en otras fístulas) en pacientes que no han respondido al tratamiento convencional pertinente (antibióticos, drenaje, inmunomoduladores).

Los efectos adversos más frecuentes y preocupantes son la aparición de infecciones (25% de pacientes tratados). La mayoría suelen ser infecciones leves del tracto respiratorio y/o urinario. Sin embargo, un pequeño porcentaje de pacientes puede presentar infecciones importantes por gérmenes oportunistas. En pacientes con fístulas es preciso descartar y drenar los abscesos antes de administrar *infliximab*. Asimismo, hay que asegurar que no hay presencia de tuberculosis latente, ya que este fármaco se asocia a la reactivación de la tuberculosis.

Un nuevo fármaco biológico es *adalimumab* (*Humira*®), anticuerpo monoclonal recombinante humano que se administra por vía inyectable subcutánea y que puede también utilizarse como tratamiento de mantenimiento. Al ser la aplicación subcutánea no hace falta ingreso de unas horas en el hospital de día, como ocurre con el *infliximab*, que se administra en infusión en dovenosa. A una dosis cada dos semanas mantiene la enfermedad inactiva durante un año en al menos el ochenta por ciento de los pacientes. *Certolizuma* (*Cimzia*®) es otro nuevo fármaco biológico de parecidas características a *adalimumab*. Ambos son bien tolerados, aunque pueden producir parecidos efectos adversos a los de *infliximab*.

• Tratamiento quirúrgico.

La resección quirúrgica de la zona afectada se hará en los casos con estenosis que den síntomas de oclusión intestinal, en caso de fístulas entre zonas de intestino y que no respondan al tratamiento médico, y en bastantes de las manifestaciones perianales de la enfermedad en forma de abscesos y fístulas.

En caso de fístulas, el sedal de drenaje es el tratamiento de elección. El problema está en decidir cuándo se debe retirar dicho sedal, ya que cuando se retira aparece recidiva con frecuencia. Hay que considerar siempre que la operación no cura la enfermedad sino que tan sólo elimina o, como mínimo, alivia las complicaciones. A veces las manifestaciones perianales dan lugar a estrechez del ano, que puede ser tratada con dilataciones bajo sedación.

Colitis ulcerosa

* Corticosteroides

Los corticoides están indicados para la remisión de los brotes activos de la colitis ulcerosa y consiguen alrededor de un setenta por ciento de respuestas positivas.

Tal como se ha indicado en la enfermedad de Crohn, también en el brote agudo de colitis ulcerosa la *prednisona* (*Dacortin®*), o *metil-prednisolona (Urbason®)*, son los esteroides más utilizados a dosis de de 0,5 -1 miligramos por kilo de peso al día de *prednisona* o su equivalencia de *metil-prednisolona* (4 miligramos de metilprednisolona = 5 miligramos de prednisona), durante unos dos meses.

Dentro del grupo de corticoides se incluye la *beclometasona dipropionato* (*Clipper®*), que se presenta en comprimidos gastrorresistentes de liberación prolongada que llegan sin disolverse hasta el intestino grueso o colon, donde su recubrimiento protector se deshace y la *beclometasona* se libera lentamente y ejerce su acción antiinflamatoria sobre la mucosa del colon. Su efecto es fundamentalmente local y su absorción limitada, por lo que también son muy limitados los efectos secundarios típicos de los corticoides (cara redonda, obesidad, osteoporosis, etcétera). Se puede usar conjuntamente con fármacos como *sulfasalazina o 5-ASA,* que describiremos a continuación, y es una buena opción en los brotes leves o moderados de colitis ulcerosa, pero no en los graves.

La *budesonida* (*Entocord®*), indicada en la inducción de remisión de brotes leves-moderados de la enfermedad de Crohn de íleon, no tiene indicación en colitis ulcerosa.

• *Sulfasalazina* (*Salazopirina®*), *5-ASA mesalazina, (Pentasa®, Claversal®, Lixacol®)*
Sulfasalazina (Salazopirina®) fue el primer gran avance en el tratamiento de la colitis ulcerosa. Demostró su eficacia en el brote agudo de colitis ulcerosa y en mantener su remisión. Sin embargo, la notable incidencia de efectos adversos de *(Salazopirina®* y la demostración de que su componente 5 amino-salicilico (*5-ASA*) era la porción terapéuticamente activa y con menos efectos adversos llevó al desarrollo de preparados por vía oral que incorporaban sólo 5-ASA *(mesalazina).* Éstos son más efectivos que *sulfasalazina* para la remisión y para el tratamiento de mantenimiento de la colitis ulcerosa y tienen menos efectos secundarios, aunque su coste es mayor.

• *Ciclosporina* (*Sandimmun®, Sandimmun Neoral®*)
Es un fármaco fundamental en el tratamiento inmunosupresor para evitar el rechazo de un órgano trasplantado. Aunque los esteroides son el tratamiento de elección cuando se producen brotes moderados y graves de colitis ulcerosa, en alrededor del treinta por ciento de los casos la respuesta no es satisfactoria. En estos casos se emplea con éxito la *ciclosporina*, con respuestas satisfactorias en el 60-80% de pacientes tratados. Por tanto, los esteroides son el tratamiento de elección de primera línea en brotes moderados y graves de colitis ulcerosa y, en caso de fracaso, se puede recurrir a la *ciclosporina*.

- Tiopurinas. *Azatioprina (Imurel®)*

  Estos fármacos han mostrado una eficacia superior a mesalazina (5-ASA) en el tratamiento de la colitis ulcerosa cortico-dependiente, es decir, aquella en que los corticoides son eficaces y hacen desaparecer el brote de la enfermedad, pero en cuanto se retiran vuelven a aparecer los síntomas. Son también eficaces en el tratamiento de mantenimiento de la remisión de la colitis ulcerosa después de haber administrado ciclosporina por vía endovenosa. También se puede utilizar 6-mercaptopurina, pero no metrotexato como en la enfermedad de Crohn.

- Tratamiento biológico (anticuerpos monoclonales recombinantes). *Infliximab (Remicade®)*,

  Están indicados como tratamiento de rescate en pacientes con colitis ulcerosa hospitalizados por un brote refractario al tratamiento con *corticoides* endovenosos. Es una alternativa probablemente mejor que *ciclosporina*, aunque más cara.

  Infliximab (Remicade®), en infusión endovenosa, ha demostrado su eficacia en inducir la remisión de la enfermedad en pacientes que no respondían a los tratamientos anteriormente indicados. Consigue una respuesta global del ochenta por ciento y también ha demostrado eficacia en mantener la remisión.

  Adalimumab (Humira®) es un anticuerpo monoclonal recombinante humano, que se administra por vía inyectable subcutánea y que ha mostrado su eficacia en la enfermedad de Crohn pero no se ha comprobado aún con seguridad su eficacia para el tratamiento de mantenimiento en la colitis ulcerosa.

En cuanto a las precauciones a observar en su utilización, efectos adversos, etcétera, es válido todo lo reseñado para la enfermedad de Crohn.

- Tratamiento quirúrgico

La intervención quirúrgica significa que el tratamiento médico ha fracasado. La consiguiente mala calidad de vida para el paciente se intenta mejorar con la cirugía. La técnica preferida hoy en día es la extirpación total de todo el colon y recto (por tanto, se cura la enfermedad) y la creación de un «reservorio» formado por la parte distal del intestino delgado que hará las veces de «recto». Es una alternativa a la ileostomía («ano contra natura») gracias a que la experiencia acumulada permite ir reduciendo poco a poco sus numerosas complicaciones.

Puntos clave:

- La enfermedad de Crohn y la colitis ulcerosa son alteraciones de origen desconocido, que ocasionan inflamación y ulceraciones en el intestino.
- La colitis ulcerosa y la enfermedad de Crohn son enfermedades crónicas, que suelen evolucionar a brotes siguiendo un curso individual difícilmente predecible.
- Son enfermedades provocadas por alteración de la inmunidad, es decir, de las defensas del organismo. En un momento determinado, por causa o causas desconocidas, la inmunidad del organismo de un individuo se trastoca y arremete contra su propio intestino como si fuera ajeno, provocándole inflamación y ulceraciones.
- Los síntomas más frecuentes son: en la enfermedad de Crohn, dolor abdominal y diarrea, y en la colitis ulcerosa, diarrea con sangre. Pueden cursar con afectación del estado general y con manifestaciones extraintestinales (piel, ojos, articulaciones, etcétera).
- El diagnóstico es complejo, sobre todo en la enfermedad de Crohn, y se basa en la analítica, la radiología con contraste del intestino delgado y la colonoscopia con biopsias de la mucosa afectada del colon. En la colitis ulcero-

Enfermedad
inflamatoria
Intestinal

sa la base del diagnóstico es la colonoscopia con biopsia de la mucosa de colon.

- En cuanto a la dieta, debe ser variada y libre, con especial atención a no descuidar el consumo de proteínas, ya que se pierden proteínas en las zonas inflamadas. No se debe prohibir la leche, tan sólo se limita en los brotes de la enfermedad y en los pacientes en los que la leche aumente la diarrea. No se ampliará esta limitación a derivados de la leche, como el yogur y el queso, que tienen un contenido muy inferior de lactosa.

- En el brote agudo, el tratamiento base siguen siendo los corticoides *(prednisona, prednisolona)*. El tratamiento preventivo de los brotes se hace con *mesalazina* y en los casos más rebeldes con tiopurinas. Cuando la *prednisona* no controla los brotes, se pueden utilizar tratamientos biológicos.

4. Síndrome del Intestino Irritable (SII). Colon irritable

¿Qué se entiende por SII?

Se define como Síndrome del Intestino Irritable (SII) o colon irritable un grupo de alteraciones funcionales que, en ausencia de trastornos metabólicos o estructurales que justifiquen los síntomas, cursan con dolor o malestar abdominal (sensación desagradable que no se describe como dolor) en relación con las evacuaciones y asociados a cambios en el ritmo de las deposiciones y/o sus características (véase figura 4.1.).

El SII tiene un curso benigno y aunque aparentemente no es un problema de salud grave, puede inducir a intervenciones quirúrgicas innecesarias. Además, los síntomas del sII pueden tener un considerable impacto negativo en la calidad de vida de los pacientes.

En la reciente conferencia de consenso, denominada Roma III, se definió el SII de una forma más concreta como *dolor o molestia abdominal recurrente, al menos tres días por mes en los últimos tres meses y asociado a dos o más de las siguientes características:*

1. *El malestar o dolor abdominal se alivia con la deposición.*

2. *Su inicio se asocia con alteración en el ritmo de las deposiciones.*

3. *El malestar o dolor abdominal se asocia a cambios en la forma y consistencia de las heces.*

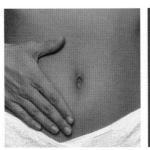

El síntoma más importante es el dolor abdominal generalmente en forma de malestar, pero a veces el dolor es intenso en forma de "garra" que obliga a acudir a Urgencias y a indicar calmantes por vía venosa

Figura 4.1. Síntoma del Síndrome de Intestino Irritable (SII)

Los criterios expuestos deben cumplirse durante tres meses y los síntomas iniciarse al menos desde seis meses antes de efectuar el diagnóstico. Hay una serie de síntomas acompañantes que ayudan a caracterizar el síndrome:

1. Frecuencia anormal en el número de deposiciones (se considera como anormal más de tres deposiciones día o menos de tres deposiciones por semana).

2. Heces excesivamente duras y/o fragmentadas (heces "caprinas").

3. Heces pastosas o líquidas.

4. Necesidad de esfuerzo para conseguir la evacuación.

5. Sensación de urgencia para evacuar.

6. Sensación de evacuación incompleta.

7. Presencia de moco en las heces.

8. Sensación de hinchazón y/o gases abdominales.

El SII es una entidad muy frecuente, al menos en el mundo occidental (alrededor del siete por ciento de la población). Además, con cierta frecuencia tiene relación con otras enfermedades, como fibromialgia, fatiga crónica, depresión, enfermedad por reflujo gastroesofágico y otras alteraciones como cefaleas, dolor torácico de origen no coronario, lumbalgia, etcétera, lo que supone una mayor dificultad en cuanto a su diagnóstico y tratamiento.

El SII puede afectar a todo el mundo y a cualquier edad, condición y estatus social, aunque es más frecuente en mujeres en edad joven o media.

Se ha comprobado que hay una fuerte asociación con la dispepsia funcional, de tal modo que un cincuenta por ciento de pacientes con SII tiene síntomas de dispepsia y a la vez un treinta por ciento de pacientes con dispepsia funcional presenta síntomas de SII.

También se han podido demostrar alteraciones del sueño, aunque es interesante la observación de que si bien los pacientes con SII manifiestan que sufren de insomnio, esta vivencia no se corresponde con parámetros objetivos de alteraciones de sueño en el polisomnógrafo (electroencefalograma, tiempo total de sueño, oculografía, etcétera). Ello sugiere que hay una percepción alterada del sueño y apoya la hipótesis de que en el SII hay una percepción exagerada tanto a estímulos externos (distensión del intestino) como internos (sensación de sueño).

El conocimiento de esta enfermedad aún se complica más si tenemos en cuenta que no hay prueba o análisis clínico que sea específico para diagnosticar este síndrome. Por ello, a menudo se llevan a cabo numerosas pruebas (a veces innecesarias) con la intención de descartar la existencia de diversas enfermedades.

¿Por qué se produce el SII?

El SII presenta una cierta predisposición hereditaria (hay familias en que sus miembros tienen mayores posibilidades de padecer SII). Los pacientes tienen menor capacidad de tolerancia a los gases en el tubo digestivo y, fundamentalmente, en el colon. Además, los pacientes con SII retienen una proporción mayor de los gases que de forma fisiológica o patológico se ingieren o se forman en el intestino y dicha retención se correlaciona con la intensidad de los síntomas.

Los pacientes tienen mayor frecuencia de alteraciones en la esfera psíquica (más estrés, ansiedad, depresión y «cancerofobia» o miedo a tener un cáncer que la población control normal), aunque no se sabe si estas alteraciones son una de las causas productoras del síndrome o tal vez sólo una consecuencia debida a la peor calidad de vida de los pacientes que sufren este síndrome.

Es cuanto menos curioso señalar que un número significativo de pacientes con SII ha iniciado su cuadro clínico después de un episodio de gastroenteritis aguda, viral o bacteriana. Probablemente el proceso de infección provoca una inflamación aguda que en la mayoría de las personas desaparece por completo, pero en algunas queda una mínima inflamación crónica en la mucosa del colon, indetectable con los medios diagnósticos, como la colonoscopia. Esta inflamación altera las terminaciones nerviosas responsables de la movilidad del colon (incrementan las contracciones en colon) y las de la percepción visceral, lo que desencadena la hipersensibilidad visceral.

El SII se caracteriza por la hipersensibilidad visceral relacionada con una anormal percepción en las terminaciones sensitivas del colon y en una anormal comunicación del intestino con los centros nerviosos superiores. Mediante estudios de distensión intraluminal (balones que se hinchan en la luz intestinal), se ha observado que se desencadenan los síntomas con grados de distensión menores que en pacientes sanos, lo que implica que los pacientes con SII perciben con mayor intensidad los estímulos o al menos perciben como dolorosos estímulos que los sujetos sanos no llegan a notar. Este aumento de la sensibilidad o percepción visceral (hiperalgesia) no se limita sólo a estímulos provocados por distensión.

Recientes investigaciones demuestran la presencia de cambios en el tono rectal con sensación de malestar e incluso dolor ante estímulos que producen cólera, tristeza, ansiedad, etcétera, lo que sugiere que las alteraciones de la función motora intestinal pueden estar influenciadas por percepciones estresantes, indicando que hay una relación entre intestino, mente y cerebro.

Mediante la provocación una distensión rectal (hinchando un balón en el recto) y la resonancia magnética funcional se ha podido detectar en los pacientes una activación más intensa de una zona del cerebro que en la población control. Pero en el SII no hay tan sólo una percepción anormal de estímulos viscerales, sino también de otro tipo, por ejemplo, auditivos (véase figura 4.2.).

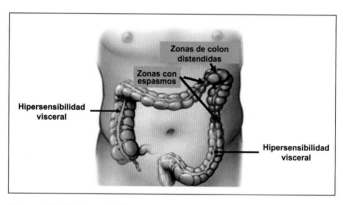

Figura 4.2. Síndrome del intestino irritable. Causas del dolor abdominal.

Los gastroenterólogos consideran con razón al SII como una enfermedad benigna en términos de esperanza de vida, pero problemática en cuanto a su manejo (a veces hay que realizar numerosas exploraciones para descartar patología orgánica, y el tratamiento no es definitivo). Sin embargo, según estudios realizados en consultas de médicos de familia, éstos encuentran al SII menos conflictivo que otras enfermedades funcionales que cursan también con dolor crónico, probablemente porque los gastroenterólogos reciben, como es lógico, casos seleccionados más complejos en los que el médico de atención primaria encuentra dificultades para manejar adecuadamente el problema, tanto desde el punto de vista diagnóstico como terapéutico

¿Cómo se puede manifestar y evolucionar clínicamente el SII

El síndrome del intestino irritable se puede manifestar de diferentes formas:

1. **Predominio de dolor o malestar abdominal.** Suele ser de tipo cólico, de intensidad variable (desde molestias leves que no impiden la vida normal en aproximadamente el setenta por ciento de los casos, hasta síntomas que llegan a ser incapacitantes en aproximadamente el cinco por ciento de los casos), de localización preferente pero no exclusiva en el lado izquierdo del abdomen y, como característica más típica, que se suele aliviar con la evacuación y expulsión de gases.

2. **Predominio de diarrea.** La diarrea suele ser líquida, a veces pastosa y casi siempre diurna. No hay fiebre ni sangre en heces, pero a veces se acompaña de necesidad urgente de evacuar (urgencia deposicional, hay que correr para llegar al baño) e incluso puede provocar incontinencia. Suele acompañarse de dolor abdominal, pero no es el síntoma que más preocupa al paciente.

Síndrome del
Intestino Irritable
(SII) / Colon irritable

3. Predominio de estreñimiento. Heces duras con dificultades para ser expulsadas, distensión abdominal («gases») y sensación de evacuación incompleta.

Ya se ha indicado que los pacientes con SII tienen, con más frecuencia que la población control, enfermedades como dispepsia funcional (50%), fatiga crónica (50%), fibromialgia (30%) y síntomas como pirosis (30%), lumbalgia (30%), cefalea (20%), palpitaciones (10%), insomnio (10%), etcétera.

Los propios síntomas del SII y su frecuente asociación a otras enfermedades o síntomas hacen que los pacientes con SII tengan peor calidad de vida que la población control. Una enfermedad con la que el SII se puede comparar en el ámbito sintomático es la enfermedad inflamatoria intestinal, sobre todo la enfermedad de Crohn. Pues bien, los estudios comparativos de calidad de vida indican que el índice de bienestar general es peor que el SII en la enfermedad inflamatoria en fase activa, pero en cambio es peor en el SII que en las fases de remisión de la enfermedad inflamatoria.

Toda esta sintomatología cursa generalmente a temporadas, que alternan con períodos asintomáticos. A largo plazo, la tendencia es a mejorar, de tal modo que a los dos años de iniciado el cuadro clínico el 25% de los pacientes continúan con síntomas parecidos, un 5% empeoran y en el 70% restante los síntomas tienen una clara tendencia a la mejoría.

¿Cómo se diagnostica el SII?

Hasta hace poco tiempo no se diagnosticaba el SII sin excluir antes multitud de patologías orgánicas mediante un notable número de pruebas, algunas molestas y la mayoría innecesarias, es decir, el diagnóstico de SII era por exclusión. Hoy en día se **puede hacer el diagnóstico de SII sin necesidad de exploraciones cuando el paciente inicia los síntomas antes de los cincuenta años, cumple los criterios clínicos expuestos y los análisis de sangre son normales.** Sin embargo, es comprensible el miedo del paciente, y también del médico, a que con estos criterios clínicos y a pesar de los análisis normales, pase desapercibida una causa orgánica de los síntomas, sobre todo un cáncer de colon o una enfermedad inflamatoria intestinal.

Pero en pacientes que inician las molestias compatibles con SII antes de los cincuenta años y sin síntomas ni signos de alarma (sangre en heces, pérdida de peso y apetito, diarrea persistente y grave, presencia de síntomas nocturnos que llegan a despertar al paciente, anemia e historia familiar de cáncer de colon o enfermedad inflamatoria intestinal) es insignificante la posibilidad de que pase desapercibida una enfermedad orgánica, con las excepciones de la celiaquía y del hipertiroidismo en pacientes con molestias compatibles con SII y predominio de diarrea. Por ello, se recomienda que los análisis incluyan la petición de anticuerpos antitransglutaminasa y el estudio de la función de la tiroides (TSH). Por tanto, es una buena práctica limitar las exploraciones a las necesarias y que los médicos expliquen bien al paciente lo que es su enfermedad y eviten exploraciones a veces molestas y no siempre inocuas.

Síndrome del
Intestino Irritable
(SII) / Colon irritable

En pacientes que inician sus síntomas después de los cincuenta años o presentan los síntomas y signos de alarma indicados en el apartado anterior (véase tabla 4.1), la primera exploración y la más recomendada es la colonoscopia, que permite diagnosticar o descartar la presencia de enfermedades orgánicas de colon, como pólipos, cáncer o enfermedad inflamatoria. En una revisión efectuada a quinientos pacientes con SII que no presentaban síntomas ni signos de alarma, la colonoscopia detectó anomalías que pudieran justificar los síntomas tan sólo en el uno por ciento de los pacientes evaluados.

> * Historia familiar de cáncer de colon.
> * Deterioro del estado general y pérdida de apetito y peso.
> * Sangrado rectal y/o anemia.
> * Diarrea refractaria.

Tabla 4.1. Síndrome de Intestino Irritable. Síntomas y signos de alarma en pacientes de más de 45-50 años que obligan a realizar un estudio para descartar que haya patología orgánica

Por tanto, la colonoscopia no se debe hacer sistemáticamente en pacientes menores de cincuenta años y sin síntomas ni signos de alarma, por lo menos de entrada, salvo en mujeres con SII y predomino de diarrea, en las que se haya podido constatar hasta un diez por ciento de colitis microscópicas (colitis colágena y linfocítica), que se diagnostican con biopsia de la mucosa del colón en el trans-

curso de la exploración endoscópica y que tienen un tratamiento diferente del indicado para el SII. Otras
exploraciones, como gastroscopia, TAC, etcétera, sólo tienen sentido ante una determinada sospecha clínica que
el médico debe aclarar.

¿Cómo se trata el SII?

Medidas generales

El paciente debe conocer bien su enfermedad y recibir la
información de que es una enfermedad benigna, aunque
molesta, que no tiene un tratamiento específico (se desco-
noce cuál es la causa exacta que la provoca y habitualmente con tendencia a mejorar, aunque en algunos pacientes,
generalmente con más estrés, ansiedad o preocupación,
los síntomas de la enfermedad recidivan con cierta frecuencia (véase tabla 4.2.).

El médico debe poner especial énfasis en eliminar la preo
cupación de algunos de sus pacientes de que sus síntomas
puedan ser consecuencia de un cáncer (cancerofobia), hecho que les genera una angustia injustificada. Pero la tran-
quilidad de los pacientes no se alcanza con la repetición de
pruebas o la realización de exámenes inapropiados. Con
esta actitud lo que se logra es transmitir inseguridad, que
es lo que menos conviene a un paciente preocupado. Lo
que el médico ha de trasmitir es un diagnóstico claro y en
todo caso, ante las dudas razonables que puedan ir sur-
giendo, indicar aquellas exploraciones y pruebas que com-
pleten la seguridad que se ha trasmitido.

- Comunicación "fluida" médico-paciente. Establecer una relación de confianza, imprescindible en una enfermedad benigna pero crónica.

- Información sobre la benignidad, frecuencia y bases del Síndrome del Intestino Irritable.

- Evitar hábitos alimentarios y situaciones estresantes que desencadenen los síntomas, reconocidos por el propio paciente.

- Participación activa del paciente en el conocimiento y control de su enfermedad.

- Tratamiento farmacológico según el síntoma predominante.

- Apoyo psicológico.

Tabla 4.2. Síndrome del intestino irritable. Esquema de tratamiento

Es recomendable evitar, pero no prohibir, aquellos nutrientes que se sabe que pueden aumentar los síntomas del SII, como grasas, lactosa, café, alcohol, bebidas con gas, comidas abundantes y aquellos otros que el paciente identifique como desencadenantes de los síntomas. Una dieta rica en fibra está especialmente indicada en los pacientes con predominio de estreñimiento, aunque en algunos de ellos el exceso de fibra puede agravar ciertos síntomas del SII, sobre todo la distensión abdominal y la sensación de aumento de gases en abdomen. Por eso, en los pacientes con SII, incluso en los que predomina el estreñimiento, hay que indicar una dieta rica en fibra, pero sin exageración. Suelen tolerarse bien las ensaladas, verduras (excepto col y coliflor), las frutas maduras y peladas y menos bien las legumbres, sobre todo judías y garbanzos.

El ejercicio físico es útil, tanto desde el punto de vista orgánico (tonifica la musculatura en general y los abdominales en particular, mejora la circulación, ayuda a evitar la obesidad, etcétera), como desde el punto de vista psíquico, ya que es bien conocida su capacidad de ayuda a la relajación y a la mejora de la tensión emocional.

Tratamiento con fármacos
El tratamiento con medicamentos se ha de diferenciar de acuerdo con la clasificación clínica indicada anteriormente.

Predominio de diarrea. Sin duda el fármaco más utilizado es *loperamida (Fortasec®)*, que por su característica de disminuir la motilidad intestinal ejerce un efecto beneficioso tanto para el síntoma de la diarrea (disminuye el número de deposiciones y aumenta su consistencia) como para la sensación de urgencia de la evacuación y la posible incontinencia. Se recomienda reservarlo para los períodos especialmente sintomáticos, con varias deposiciones/día, líquidas y con sensación de urgencia, que limitan a veces mucho la calidad de vida de los pacientes.

También se ha usado *racecadrotrilo (Tiorfan®)*, con efecto antisecretor intestinal, lo que hace menos líquidas las heces. Algunos especialistas recomiendan cápsulas de m*etil celulosa (Muciplasma®, Metil celulosa®)*, 2-3 cápsulas al día), que contiene fibra, con el objetivo de regularizar las deposiciones por el mecanismo de espesar las heces. Curiosamente, también se usa cuando predomina el estreñimiento y el paciente tolera la fibra.

Predominio de estreñimiento. A pesar de la posibilidad de aumentar la sensación de distensión abdominal, es recomendable iniciar el tratamiento con dieta con fibra y con preparados de suplementos de fibra, a dosis inicialmente pequeñas, para que el intestino se adapte: *plantago ovata* o *plantago psyllium (Plantaben®, Metamucil®),* que contiene fibra soluble e insoluble a dosis de un sobre al día o m*etil celulosa (Muciplasma®, Metil celulosa®),* una cápsula tragada con un vaso de agua lleno antes del desayuno, comida y cena.

Para estos pacientes sirven los mismos conceptos expresados en el capítulo sobre estreñimiento, aunque si hay necesidad de laxantes (procurar evitarlos porque pueden desencadenar más dolor abdominal) son preferibles los más suaves, los osmóticos, como *polietilenglicol (Movicol®), lactulosa (Duphalac®), lactitol (Emportal®, Oponaf®),* con cierta preferencia por el primero de ellos, que tiene menos tendencia a producir gas al no ser fermentable.

Predominio de dolor abdominal. Hay fármacos con propiedades antiespasmódicas (disminuyen las contracciones dolorosas intestinales) que han mostrado eficacia superior al placebo sobre el dolor abdominal del SII y además tienen pocos efectos secundarios. Entre ellos, el *bromuro de pina-*

verio (Eldicet®), bromuro de octilonio (Spasmoctyl40®), trimebutina (Polibutin®), mebeverina (Duspatalin®). Todos ellos se toman a la dosis media de un comprimido, 15 minutos antes de desayunar y cenar.

Por su efecto analgésico visceral se han de incluir en este apartado los antidepresivos tricíclicos, a dosis más bajas de las necesarias para conseguir su efecto en la depresión. Es una buena opción, sobre todo en pacientes con dolor abdominal y diarrea. Estos fármacos son eficaces, incluso más que los antiespasmódicos, pero tienen efectos secundarios no desdeñables, como sequedad de boca, retención urinaria, sedación, cansancio, etcétera, por lo que siempre deben estar indicados y seguidos por el médico. Entre ellos, *amitriptilina (Triptizol®), imipramina (Anafranil®), Nortripti-lina (Paxtibi®, Deprelio®)* a dosis de 10-25 mg/día. Algunos autores recomiendan en fases de dolor intenso y durante cortos períodos de tiempo, el tratamiento con codeína sola *(Perduretas de codeína®, Codeisan®),* o conjuntamente con paracetamol *(Termalgin codeína®, Gelocatil codeína®, Dolgesic codeína, Algidol®).*

El uso de hierbas medicinales para el tratamiento del SII es muy popular en todo el mundo, especialmente en países asiáticos. La más estudiada ha sido la *mentha piperita,* que en algunos estudios, no en todos, se ha mostrado superior al placebo en la mejoría del dolor y la distensión abdominal. También se han utilizado hierbas chinas con algunos resultados positivos, aunque no se puede asegurar que sean más eficaces que el placebo. No hay evidencias de que la acupuntura tenga efectos beneficiosos en el SII, como ocurre en dolores reumáticos o traumáticos. Finalmente, hay algunos estudios que reconocen una notable eficacia al yoga, aunque su posible efectividad tarda en aparecer.

Puntos clave:

- El Síndrome del Intestino Irritable (SII) se define como: *dolor o molestia abdominal recurrente al menos tres días por mes en los últimos tres meses asociado a dos o más de las siguientes características. El malestar o dolor abdominal alivia con la deposición, su inicio se asocia con alteración en el ritmo de las deposiciones y el malestar o dolor abdominal se asocia a cambios en la forma y consistencia de las heces.* Los síntomas deben iniciarse, como mínimo, seis meses antes de efectuar el diagnóstico.
- El SII se caracteriza por hipersensibilidad visceral relacionada con una anormal percepción en terminaciones sensitivas de colon y/o una anormal comunicación del intestino con los centros nerviosos superiores.
- Los pacientes con SII tienen con más frecuencia dispepsia funcional (50%), fatiga crónica (50%), fibromialgia (30%) y síntomas como pirosis (30%), lumbalgia (30%), cefalea (20%), palpitaciones (10%), insomnio (10%), etcétera.
- Cuando los síntomas se inician en pacientes de menos de cincuenta años, si cumplen los crite-

rios clínicos de SII y la analítica es normal, se puede hacer el diagnóstico sin necesidad de pruebas, siempre que no tengan síntomas ni signos de alarma (sangre en heces, pérdida de peso y apetito, diarrea persistente y grave, síntomas nocturnos que despiertan, anemia e historia familiar de cáncer de colon o enfermedad inflamatoria intestinal), ya que es insignificante la posibilidad de tener una enfermedad orgánica importante.

- Cuando el paciente tiene más de cincuenta años o síntomas o signos de alarma, se hará una colonoscopia para descartar la existencia de una enfermedad orgánica (pólipos, cáncer o enfermedad inflamatoria). En mujeres con SII y predominio de diarrea se realizará una colonoscopia y una biopsia de la mucosa del colon para detectar una posible colitis microscópica, colágena o linfocítica (hasta un diez por ciento de casos), porque el tratamiento es diferente al tratamiento general del SII.

- En cuanto a las medidas generales y dietéticas, es recomendable evitar, pero no prohibir, alimentos que pueden aumentar los síntomas de SII, como grasas, lactosa, café, alcohol, bebidas con gas, comidas abundantes y los que el paciente identifique como desencadenantes de síntomas. La dieta rica en fibras está indicada en pacientes con predominio de estreñimiento cuando el paciente tolere bien la fibra.

- Tratamiento con fármacos. Diferenciar dependiendo de predominio clínico.

  a) *Cuando hay predominio de dolor abdominal.* Antiespasmódicos: *bromuro de pinaverio (Eldicet®), bromuro de octilonio (Spasmoctyl40®), trimebutina (Polibutin®), mebeverina (Duspatalin®).* Cuando el dolor es intenso, se recomienda durante un breve período de tiempo *codeína sola (Perduretas de codeína®),* o mejor con *paracetamol (Termalgin codeína®, Analgilasa®, Analgiplus®, Gelocatil codeína®, Dolgesic codeína®, Algidol®).*

  b) *Cuando hay predominio de diarrea.* Antidiarreicos: *loperamida (Fortasec®), racecadrotrilo (Tiorfan®).* Se recomienda tomar fibra en forma de cápsulas de *metil celulosa (Muciplasma®, Metil celulosa®),* por su capacidad de espesar las heces.

  c) *Cuando hay predominio de estreñimiento.* Formadores de masa como en el estreñimiento, *plantago ovata o psyllium (Plantaben®, Metamucil®), Goma guar, (Fibraguar®, Plantaguar®.), derivados de celulosa,* como la *Metil celulosa® o Muciplasma®.* Iniciar el tratamiento a dosis bajas para probar la tolerancia del paciente e ir aumentando según respuesta y/o tolerancia.

5. Cáncer de colon y recto

¿Qué son los tumores digestivos?

Los tumores digestivos, como los de cualquier otra parte de nuestro organismo, pueden ser benignos y malignos. La diferencia fundamental estriba en que los *benignos* tienen un crecimiento controlado y quedan limitados al lugar donde se originan, mientras que los *malignos* tienen un crecimiento descontrolado y se extienden desde el lugar de origen. Pueden afectar órganos o estructuras vecinas por continuidad o a través de la sangre producen siembras en otros órganos o tejidos (son las llamadas *metástasis*).

El término «cáncer» hace referencia a los tumores malignos. El diagnóstico de «cáncer» en absoluto equivale a una sentencia de muerte próxima. Un número considerable de tumores digestivos se curan y otros, aunque no se logre su curación definitiva, se pueden controlar durante períodos largos de tiempo con una aceptable calidad de vida.

El pronóstico de los tumores digestivos depende de varias variables:

a) *Localización*. Por regla general tienen mejor pronóstico los tumores de colon que los de otras localizaciones, como esófago o páncreas (véase figura 5.1.).

b) *Grado de extensión*. Cuando el tumor se diagnostica con afectación exclusiva del lugar donde se ha originado tiene mejor pronóstico que cuando se ha extendido a órganos vecinos o si se han producido metástasis.

c) *Estado general del paciente*. Unos pacientes en buen estado permiten ciertos tratamientos vedados a otros con enfermedades asociadas de cierta importancia.

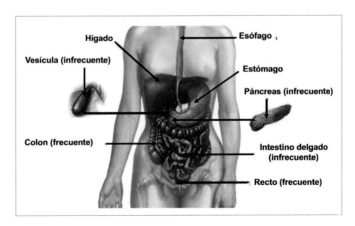

Figura 5.1. Localización de los tumores digestivos

Sin embargo, no se puede esconder que los tumores digestivos son un problema creciente en nuestra sociedad, porque desgraciadamente son frecuentes, provocan una pérdida de bienestar y un deterioro de estado general y pueden
conducir al fallecimiento del paciente. El envejecimiento de
la población y la disminución de la mortalidad por enfermedades infecciosas han conducido a un aumento de la mortalidad por cáncer. Una de cada cuatro muertes en nuestro
país es debida al cáncer.

En el ámbito de los tumores digestivos, el tumor de colon y
recto (colorrectal) es el más frecuente en España y el que
más ha aumentado en los últimos años, seguido del de pulmón y mama. Por el contrario, hay otros tumores que tienen
tendencia a disminuir, como el de estómago. El cáncer colorrectal es un tumor frecuente en nuestro medio y constituye el segundo en frecuencia tanto en varones como en
mujeres, tras el cáncer de pulmón y mama respectivamen-
te. Si se consideran ambos sexos, ocupa el primer lugar en
incidencia y representa la segunda causa de muerte por
cáncer en nuestro país. En los países desarrollados el riesgo de padecer cáncer colorrectal a lo largo de la vida es del
0,5%, aunque en la gran mayoría aparece por encima de
los cincuenta años.

Por todo ello es lógico que se se estén haciendo especia-
les esfuerzos para intentar identificar aquellas personas
que tengan predisposición a padecer cáncer colorrectal
con el objetivo de realizar una vigilancia más estricta, sobre todo en aquellas circunstancias (pólipos de colon) en
las que se ha demostrado la posibilidad de pasar de una

Cáncer de
colon y recto

alteración benigna a otra maligna. Ahora bien, cuando los pólipos de colon se extirpan por endoscopia, se evita totalmente su transformación en tumor maligno (véase figura 5.2.).

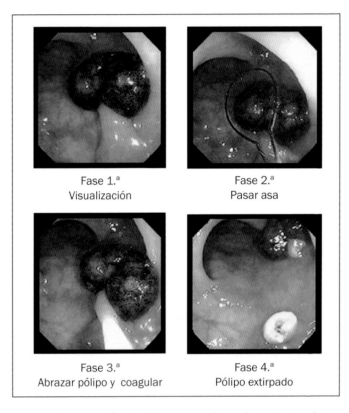

Fase 1.ª
Visualización

Fase 2.ª
Pasar asa

Fase 3.ª
Abrazar pólipo y coagular

Fase 4.ª
Pólipo extirpado

Figura 5.2. Extirpación de pólipos por endoscopia (polipectomía)

¿Por qué aparece el tumor digestivo y concretamente el cáncer colorrectal?

La mayoría de los cánceres colorrectales derivan de pólipos adenomatosos. Un pólipo es una protuberancia visible en la superficie de la mucosa del colon, y una minoría de ellos se trasforman en cáncer. Los estudios de detección sistemática de la población han revelado que los pólipos adenomatosos de colon se pueden encontrar en un veinticinco por ciento de las personas de más de cincuenta años y, sin embargo, menos del uno por ciento llegan a hacerse malignos. La gran mayoría de los pólipos no producen síntomas.

Se sabe que los pólipos necesitan más de cinco años de crecimiento para ser clínicamente significativos, por lo que parece razonable que cuando se descubran y se extirpen, no sea necesario repetir la colonoscopia antes de los tres años y probablemente sea suficiente a los cinco años.

El tumor digestivo de cualquier localización aparece sin causa aparente y sin ninguna razón, pero en algunas ocasiones hay circunstancias que lo hacen más posible:

a) **Antecedentes de cáncer en la familia (componente hereditario).** El cáncer es un proceso en que las células cambian los mecanismos de control que dirigen los procesos de proliferación. Se produce una multiplicación exagerada que produce no tan sólo tumor local, sino también invasión de estructuras vecinas. Hay familias en las que hay acumulación de un determinado tumor. Se han descubierto alteraciones genéticas que pueden ser transmitidas de padres a hijos y que aumentan la posibilidad de padecer algún tipo de cáncer como el de mama, ovario y colon. Sin embargo, se calcula que sólo un cinco por ciento de estos tumores se relacionan con predisposición genética.

La tecnología moderna permite conocer la mutación genética hereditaria que hace más susceptible al paciente a un determinado cáncer. Con esta información (su análisis es voluntario y su resultado confidencial) el sujeto podrá tomar medidas preventivas y someterse con más frecuencia a procedimientos de exploración indicados por el médico que permitirán detectar el cáncer en etapas tempranas, cuando es más tratable. De todas maneras la mayoría de los tumores colorrectales, son esporádicos. Sólo una pequeña parte de ellos corresponde a formas hereditarias (5%), los cuales pueden detectarse por mutaciones germinales en el gen llamado APC.

Para la valoración del riesgo de un individuo en relación con el desarrollo de cáncer colorrectal es fundamental evaluar los antecedentes de cáncer colorrectal o de pólipos de colon en el propio individuo y en los familiares de primer grado (padres, hermanos, hijos) o incluso de segundo grado (abuelos, tíos, sobrinos). En ellos el análisis genético de APC permite el diagnóstico de los familiares de riesgo antes de dar síntomas. Este análisis genético permite racionalizar las exploraciones, de tal manera que la colonoscopia puede centrarse únicamente en aquellos miembros portadores de mutaciones en el gen APC.

Hay una enfermedad hereditaria, la poliposis adenomatosa familiar, causada por mutaciones en el gen APC, que se caracteriza por la presencia de muchos pólipos en el colon y que tiene un alto potencial de malignización. Si no se extirpa quirúrgicamente todo el colon, la totalidad de los pacientes desarrollarán un cáncer colorrectal antes de los cincuenta años. Los familiares de primer grado de pacientes con poliposis adenomatosa familiar deben someterse a colonoscopia entre los 15-25 años de edad. En caso de tener la enfermedad, hay que extirpar todo el colon, que es la única manera de prevenir el desarrollo seguro del cáncer.

Hay también una forma de cáncer hereditario sin presencia de pólipos (llamado síndrome de Lynch), en que hay una mutación en los genes que cuidan de «reparar» alteraciones en las células que podrían degenerar en malignas. El estudio genético de estos genes alterados (se denomina «inestabilidad de microsatélites») permite detectar a los familiares susceptibles y, a partir del mismo, recomendar la realización de colonoscopias preventivas para detectar lesiones incipientes, ya que dichos familiares tienen una mayor posibilidad de desarrollar cáncer colorrectal y en edades más tempranas. A los miembros de estas familias se les recomienda que se hagan una colonoscopia cada dos años a partir de los 25-30 años.

b) **La edad**. El cáncer de estómago y el colorrectal son infrecuentes antes de los cincuenta años, tanto en mujeres como en hombres, por lo que no está indicado procedimiento alguno para descartar el cáncer antes de

Cáncer de colon y recto

esa edad, excepto si hay antecedentes familiares de pólipos o cáncer colorrectal. Los contados casos de cáncer colorrectal diagnosticados en edades inferiores a los cincuenta años se producen precisamente en el contexto de formas hereditarias.

c) **Malos hábitos de vida** que favorecen la aparición de cáncer, como tabaco, exceso de alcohol, alimentación pobre en fibras y rica en carnes y grasas, vida excesivamente sedentaria, etcétera. Estudios recientes demuestran que a mayor obesidad, sobre todo abdominal, hay más posibilidad de sufrir cáncer colorrectal.

La alimentación con gran contenido de grasa animal (pero no vegetal) se asocia a mayor riego de desarrollar cáncer de colon. En cuanto a los consejos para prevenir el cáncer colorrectal, se recomienda moderar el consumo de grasa animal, de carne roja o carne procesada, evitar el consumo de tabaco y moderar la ingesta de alcohol. Por el contrario, se recomienda la dieta rica en fibras (vegetales y frutas) y los productos lácteos, preferiblemente semidrecremados. Algún estudio ha mostrado que el ejercicio físico practicado de forma regular y con intensidad moderada disminuye el riesgo de cáncer digestivo en un cuarenta por ciento.

d) **Existencia de enfermedad o lesión previa** con reconocido potencial de inducir o favorecer el desarrollo de cáncer. Por ejemplo, los pacientes con colitis ulcerosa o enfermedad de Crohn del colon extensa y de larga evolución tienen un leve pero significativo incremento del riesgo de sufrir un cáncer colorrectal. Asimismo hay que tener presente que los pacientes que han tenido un cáncer colorrectal, tienen un mayor riesgo de sufrir un segundo tumor en esta localización.

Los pólipos adenomatosos de colon (setenta por ciento de todos los pólipos) constituyen una lesión potencialmente maligna, aunque de crecimiento muy lento. Se calcula que el uno por ciento de ellos sufre transformación carcinomatosa. A pesar de este bajo porcentaje, ante la presencia de pólipos es necesaria la polipectomía endoscópica, que permite la extirpación completa de la mayoría de los pólipos y su posterior análisis. Si los pólipos extirpados son benignos, se recomienda realizar una nueva colonoscopia de control a los 3-5 años.

¿Qué tipo de actuaciones parecen recomendables para detectar precozmente el cáncer colorrectal?

El cáncer colorrectal constituye un problema de salud importante por su frecuencia. Sin embargo, es susceptible de ser detectado en sus fases iniciales, ya que se dispone de métodos diagnósticos adecuados para este fin y se sabe que su tratamiento es más efectivo cuando se diagnostica en una fase incipiente.

Uno de los métodos es la detección mediante análisis de la presencia de sangre oculta en heces. La realización de esta sencilla prueba, aunque algo engorrosa, es eficaz para la detección de cáncer colorrectal asintomático. La presencia de sangre oculta va seguida de la realización de una colonoscopia. El inconveniente más serio de esta estrategia son los resultados falso-positivos (se ha detectado la presencia de sangre oculta en heces por la existencia de hemorroides u otra alteración benigna capaz de hacer perder cantidades microscópicas de sangre), que conllevan la realización de una colonoscopia, exploración no exenta de un cierto riesgo, aunque el índice complicaciones graves es muy bajo.

Para la detección de cáncer colorrectal incipiente se ha recomendado la colonoscopia en sujetos mayores de cincuenta años o por debajo de esta edad si hay factores de riesgo (sobre todo constatación de pólipos o antecedentes familiares de cáncer o de pólipos de colon). El intervalo entre colonoscopias es de diez años.

En los miembros de familias con poliposis adenomatosa o cáncer de colon hereditario sin poliposis, se realizará una primera colonoscopia alrededor de los veinticinco años de edad. Si se demuestra la presencia de poliposis adenomatosa, se debe indicar la extirpación quirúrgica del colon (único método eficaz de prevenir el cáncer de colon, que aparecería con seguridad antes de los cincuenta años). Si en la familia hay casos de cáncer hereditario no polipoideo se recomienda a sus miembros una colonoscopia cada dos años, para detectar precozmente la aparición de una degeneración maligna.

¿Qué síntomas pueden dar los tumores de colon y recto?

Es lógico que gran parte de los síntomas dependan de la localización del tumor, pero en general presentan en común un deterioro del estado general en forma de pérdida

de peso inexplicable, cansancio y anorexia (falta de apetito).

El tumor colorrectal no suele dar síntomas evidentes hasta
que está relativamente avanzado. Los síntomas y signos
más frecuentes asociados al cáncer colorrectal son la rectorragia (sangre roja en las heces) y el cambio en el ritmo
de las deposiciones.

La constatación de anemia ferropénica (por déficit de
hierro) en un análisis también puede ser una forma
de presentación de cáncer colorrectal derecho. Los de
colon izquierdo se manifiestan con dolor abdominal tipo
cólico, rectorragias y/o cambio en el ritmo de las deposiciones.

Los tumores de colon izquierdo no suelen producir anemia,
pero los de colon derecho, al estar ulcerados, provocan
anemia por pérdidas pequeñas y repetidas de sangre en
heces, muchas veces en forma oculta, sólo detectable en
análisis de heces. El tumor rectal se presenta con diarrea,
sangre, moco y urgencia deposicional.

¿Cómo se hace el diagnóstico del tumor digestivo?

El diagnóstico de sospecha de tumor digestivo se puede
hacer con la ayuda de la endoscopia (en el caso de tumor
colorrectal mediante colonoscopia), ecografía, TAC, etcétera, pero la confirmación llegará con el estudio al microscopio de una muestra obtenida del tejido afectado (biopsia).
En el caso de vísceras digestivas huecas (esófago, estóma-

CÁNCER DE COLON Y RECTO

go e intestino), la muestra se obtiene mediante endoscopia, procedimiento que permite dirigir la pinza de biopsia a la zona sospechosa. En el caso del hígado y páncreas, que son vísceras sólidas, se obtiene mediante aguja dirigida por ecografía o TAC.

Hay que tener en cuenta que no siempre que el médico toma una biopsia es porque sospecha que se trata de tumor maligno. En el transcurso de la lectura de este libro se habrá podido observar que la biopsia también es necesaria para el diagnóstico de ciertas enfermedades benignas, como la enfermedad celíaca o celiaquía (intolerancia al gluten de la harina de trigo) o la llamada colitis microscópica que provoca diarreas crónicas.

Una vez diagnosticado el tumor digestivo, el médico hará una serie de pruebas para detallar su tamaño, extensión y determinar si el tumor tiene metástasis. Todos estos parámetros son necesarios para establecer el tratamiento más idóneo a cada paciente

¿Qué se puede ofrecer como tratamiento del tumor digestivo?

En este apartado quiero hacer tan sólo unas breves consideraciones para que se puedan entender los pasos que el médico se plantea ante un tumor digestivo.

a) **Información verídica.** El paciente debe recibir información real de su enfermedad, aunque el médico la comunicará de forma prudente y esperanzadora. Tiene que ser así, entre otras razones, porque la decisión final del tipo de tratamiento es siempre del paciente (salvo renuncia expresa de este derecho) y mal podrá decidir si no conoce verdaderamente su estado después de recibir la información del médico.

b) Además, **el médico informa de las diferentes alternativas,** los pros y contras y los efectos secundarios de las diferentes posibilidades terapéuticas planteadas. También debe informar de la previsible evolución de la enfermedad, en el hipotético caso de que el paciente no sea tratado.

c) **El tratamiento se basa en la cirugía (extirpación del tumor, cuando sea posible),** que generalmente se acompaña de quimioterapia y/o radioterapia, procedimientos que se realizarán algunas veces antes y otras veces después de la intervención quirúrgica.

d) **No hay remedios mágicos para el cáncer.** Las medicinas complementarias pueden ayudar a paliar algunos síntomas o efectos secundarios del tratamiento con quimioterapia y/o radioterapia, pero nunca son sustitutivos de los tratamientos médicos recomendados por la medicina basada en la evidencia.

e) **La quimioterapia** se basa en fármacos que atacan y destruyen células de cáncer. Puede hacerse antes de la cirugía, con la intención de disminuir el tamaño del tumor y facilitar su extirpación, en cuyo caso se la conoce como *neoadyuvante,* o puede hacerse después de la intervención quirúrgica con el objetivo de incrementar las posibilidades de curación después de la extirpación del tumor, en cuyo caso se la conoce *adyuvante*. Finalmente, hay una *quimioterapia paliativa* que se realiza cuando el tumor es inextirpable con el propósito de aumentar la supervivencia y la calidad de vida. La quimioterapia tiene sin duda un notable número de efectos secundarios: cansancio, anemia, nauseas y vómitos, irritación y llagas en la boca, diarrea, hormigueos en las manos, etcétera. Hay fármacos que alivian estos síntomas, pero no los anulan. Estos problemas deben de ser aceptados, porque son pequeños en comparación con los que pudiera provocar el propio cáncer.

f) **La radioterapia** es una radiación que el médico especialista dirige hacia la zona enferma, antes o después de una intervención quirúrgica o como tratamiento único, con intención curativa o paliativa. Estas radiaciones provocan daño en las células del tumor, disminuyendo su tamaño y su agresividad. Las radiaciones también afectan, aunque con mucha menor intensidad, a las células normales cercanas a las tumorales, y pueden ocasionar algunos efectos indeseables como sequedad en las mucosas, quemaduras en la piel, diarrea, etcétera.

Puntos clave:

- Los tumores digestivos pueden ser benignos (crecimiento controlado) y malignos (se extienden a partir del lugar de origen afectando estructuras vecinas por continuidad o producen siembras en ganglios linfáticos o en otros órganos a través de la sangre (metástasis). El término «cáncer» hace referencia a los tumores malignos.
- El diagnóstico de «cáncer» en absoluto equivale a una sentencia de muerte próxima. En el ámbito digestivo, un número considerable de tumores se curan y otros, aunque no se logre su curación definitiva, se pueden controlar durante períodos largos de tiempo con una aceptable calidad de vida.
- Entre los tumores digestivos, el de colon y recto (colorrectal) es el más frecuente en España y el que más ha aumentado en los últimos años.
- Últimamente se han descubierto alteraciones genéticas que pueden ser transmitidas de padres a hijos y que aumentan la posibilidad de padecer cáncer colorrectal, aunque sólo un cinco por ciento de estos tumores se relacionan con predisposición genética. La tecnología moderna permite conocer la mutación genética hereditaria que hace más susceptible al paciente a padecer un determinado cáncer.

Cáncer de
colon y recto

- Favorecen la aparición de cáncer el tabaco, el alcohol, la obesidad, la alimentación pobre en fibras y rica en grasas, la vida sedentaria, etcétera. Estudios recientes muestran que a mayor obesidad, sobre todo abdominal, más posibilidad de sufrir cáncer de colon. El exceso de alcohol y tabaco favorecen, sobre todo, la aparición de cáncer de esófago y páncreas.
- En cuanto al tratamiento, la extirpación quirúrgica del tumor colorrectal es la mejor opción, acompañada habitualmente de quimioterapia y/o radioterapia, procedimientos que se pueden aplicar antes o después de la intervención quirúrgica.

6. Enfermedades del ano

¿Qué enfermedades benignas aunque molestas aparecen en el ano?

El ano es la apertura que hay al final del tubo digestivo por donde las sustancias de desecho que quedan después del proceso de la digestión abandonan el organismo. Esta apertura externa es la parte visible de un conducto de unos tres centímetros que se llama canal anal.

El ano esta recubierto en parte por mucosa rectal y en parte por piel, donde hay unos nervios muy sensibles que permiten discriminar material sólido, líquido y gaseoso, lo cual es muy positivo para la continencia. Sin embargo, cualquier lesión en esta zona, aunque sea poco importante, la convierte en dolorosa, y a veces muy dolorosa.

El canal anal esta rodeado por un anillo muscular que cierra el ano. Está formado por el *esfínter interno,* que mantiene cerrada la apertura y el *esfínter externo,* que es de contracción voluntaria y que ayuda al esfínter interno en caso de necesidad (al realizar un esfuerzo, toser, etcétera) a que no se produzcan escapes. La sangre que llega a esta zona es recogida por unas venas, llamadas venas hemorroidales. En el ano pueden aparecer alteraciones: inflamación de hemorroides, fisura de ano, fístulas y abscesos.

¿Qué son las hemorroides, cómo se pueden prevenir y cómo se tratan?

Las hemorroides son venas que recogen la sangre de la zona recto-anal y forman parte de la anatomía humana normal. Sin embargo, cuando se dilatan e inflaman provocan molestias y pérdida de sangre roja por ano. La enfermedad hemorroidal la padece un veinte por ciento de la población de forma más o menos frecuente. Una de las causas que provoca esta enfermedad es el esfuerzo exagerado al evacuar cuando hay estreñimiento, pero también el excesivo número de deposiciones cuando hay diarrea crónica.

Las hemorroides pueden ser:

1. *Internas* (dentro del recto), que habitualmente no duelen, aunque pueden sangrar.

2. *Externas,* situadas junto a la piel del ano, que suelen ser dolorosas cuando se inflaman o se produce en ellas una trombosis (coágulo de sangre) y también pueden sangrar.

3. *Prolapsadas* o exteriorizadas, que son internas más grandes que salen fuera del ano con los esfuerzos de la evacuación y después pueden volver o no a su situación normal. Cuando son grandes quedan fuera mostrándo-

se en forma de bultos cubiertos con la mucosa del recto o con epitelio similar al de la piel (véanse figura 6.1. y figura 6.2.)

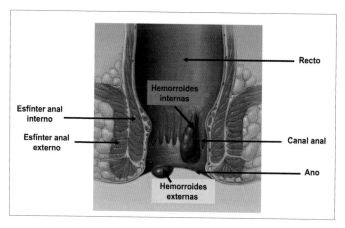

Figura 6.1. Hemorroides

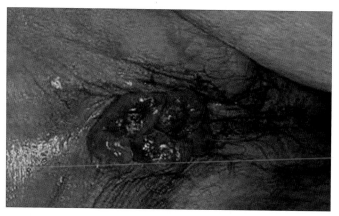

Figura 6.2. Hemorroides externas y hemorroides internas prolapsadas

El padecimiento hemorroidal es tan frecuente que casi todas las personas de más de cincuenta años lo ha padecido alguna vez en su vida. El síntoma principal es la aparición de sangre roja en heces que cae al inodoro después de evacuar, o que mancha de rojo el papel higiénico. Pocas veces la pérdida de sangre es tan seguida y/o importante para provocar anemia. La sangre que viene del colon o recto por divertículos, pólipos, cáncer, etcétera, sale habitualmente mezclada con heces. De todas formas, ante la presencia de sangre en heces es imprescindible la visita y la valoración médica. Otros síntomas de la enfermedad hemorroidal son: dolor, a veces intenso, sobre todo cuando hay trombosis hemorroidal, picor o prurito o simplemente la sensación molesta de «ocupación anal».

El diagnóstico no es difícil para el médico. Para ello sólo es necesario efectuar la inspección anal, el tacto rectal y la anuscopia. El médico es el que debe decidir si son precisas más exploraciones del colon, como la colonoscopia.

Tratamiento

Medidas generales
Se recomienda seguir una dieta rica en fibras para evitar esfuerzos durante la defecación. Hay que evitar permanecer en el baño más tiempo del necesario (¡no leer sentado en el retrete!). La higiene después de evacuar se hará con toallitas de bebé o con lavado suave con agua y jabón y un buen secado de la zona.

Tratamiento oral

- Fármacos venotónicos (flavonoides)

  Flavonoide es el término genérico empleado para designar a las sustancias químicas presentes en ciertas plantas que mejoran la circulación venosa, disminuyen la inflamación, y aumentan la resistencia de las pequeñas venas. Estos fármacos se obtienen de extractos vegetales. Destacan *troxerutina (Venoruton 1000 mg®, Esberiben®), diosmina (Diosminil®), hidrosmina (Venosmil®)* y *diosmina + hesperidina (Daflon 500®).* Su uso en la enfermedad hemorroidal tiene un efecto beneficioso en cuanto a mejoría del sangrado, dolor, escozor y picor, así como en una disminución de la recidiva de los brotes.

- Fibra

  Los compuestos de fibra naturales (semillas del p*lantago ovata [Plantaben®, Biolid®, Metamucil®)]*, salvado de trigo) y sintéticos (*Metilcelulosa® Muciplasma®),* mejoran los molestos síntomas hemorroidales (dolor y sangrado) y disminuyen los síntomas tras la cirugía, ya que al absorber agua aumentan el volumen del bolo fecal y forman heces más suaves y fáciles de evacuar. El efecto terapéutico aparece a las 12-72 horas de iniciar el tratamiento, aunque puede llegar a tardar días. Cuando el efecto terapéutico buscado no se produce, pueden utilizarse laxantes como la mezcla de *plantago ovata y fruto del sen (Agiolax®).*

Tratamiento tópico (local)

- Corticoides y anestésicos

  Existen muchas cremas, pomadas, ungüentos y supositorios antihemorroidales que en la práctica clínica se consideran útiles para el alivio de los síntomas hemorroidales. Se deben utilizar durante períodos cortos de tiempo (no más de diez días). Los corticoides tópicos solos o con anestésicos locales más utilizados son: *acetónido de triamcinolona (Anso®), prednisolona (Ruscus Llorens®), hidrocortisona (Cohortan Rectal®, Hemorrane®) dipropionato de beclometasona (Recto Menaderm®), acetónido de fluocinolona (Synalar Rectal®, Trigón rectal®).*

Los anestésicos tópicos actúan por anestesia del bloqueo de la propagación del impulso nervioso. La analgesia dura unas dos horas. Los anestésicos tópicos más utilizados son: *lidocaína, benzocaína, cincocaína y tirotricína.*

Hay preparados sin corticoides con propiedades analgésicas y antiinflamatorias de las venas hemorroidales, como *Proctolog®*. Asimismo, agentes astringentes (*ruscogenina*) y otros como *trimebutina, clorocarvacrol, ictamol, mentol y óxido de zinc,* también con propiedades antiinflamatorias.

Tratamientos instrumentales

Cuando fracasan las medidas higiénico-dietéticas y los fármacos, el médico puede utilizar inyecciones esclerosantes (que fijan las hemorroides y evitan su progresión y prolapso) o ligaduras con bandas (que ligan las hemorroides). Con estas técnicas se obtiene un setenta por ciento de buenos resultados. Cuando las hemorroides son tan grandes y prolapsadas que no se pueden reducir hay que recurrir a la intervención quirúrgica.

¿Qué es la fisura anal?

La fisura anal es un «corte», desgarro pequeño, herida o úlcera longitudinal que se localiza en un noventa por ciento
de los casos en la región medio posterior del ano y en el
otro diez por ciento en la región anterior (véase figura 6.3).
Se produce por aumento de la fuerza del esfínter anal interno que provoca disminución de llegada de sangre a estas
zonas y produce la herida o úlcera.

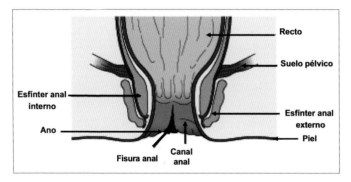

Figura 6.3. Fisura de ano

Las fisuras anales son muy dolorosas a la presión y producen un dolor intenso durante la evacuación, sobre todo de
heces duras, que persiste durante unas horas para ir cediendo hasta la nueva evacuación. Es lógico que los pacientes sientan terror a evacuar y lo retrasen, lo que a su vez
provoca estreñimiento, más dolor al evacuar y mayor posibilidad de impedir la cicatrización. Se establece un círculo
vicioso del que sólo se sale con un tratamiento adecuado.
El diagnóstico de la fisura es visual, separando los pliegues
del ano.

Enfermedades
del ano

Tratamiento

El tratamiento de la fisura anal crónica con fármacos tiene menor tasa de curación y mayores recidivas que la cirugía (con la operación quirúrgica se corta el esfínter anal interno), por lo que ésta debe ser el tratamiento inicial para los jóvenes sin riesgo de incontinencia, es decir, sin cirugía anal previa y con tono normal del ano. Al resto de pacientes se les prescribirá en primer lugar un tratamiento a base de medidas higiénico-dietéticas y farmacológicas y, en caso de fracaso, se realizará la intervención quirúrgica.

Medidas generales

El tratamiento inicial de la fisura aguda y crónica se basa en las recomendaciones higienico-dietéticas dadas para la enfermedad hemorroidal y encaminadas a evitar el estreñimiento: dieta rica en fibra, suplementos de fibra, intentar la evacuación a la misma hora y preferentemente después del desayuno, etcétera.

Asimismo, se recomienda disminuir e incluso abstenerse de alcohol, café, picantes, salsas, etcétera. Hay que evitar en lo posible el papel higiénico, que se sustituirá por lavado con agua y jabón y baños de asiento después de evacuar, para relajar el esfínter anal. Estas medidas han demostrado que producen beneficios superiores a las cremas de *corticoides y anestésicos locales*.

Tratamiento tópico

* Corticoides y anestésicos
  La curación de las fisuras con preparados tópicos es inferior a la obtenida con otras alternativas e inferior a los

resultados obtenidos para las hemorroides, por tanto, no están indicados, salvo los anestésicos para alivio del dolor. La aplicación de la pomada anestésica se hace unos minutos antes de la evacuación, por ejemplo, un *lubricante urológico* que es realmente un lubrificante con propiedades anestésicas.

- Nitroglicerina y calcioantagonistas tópicos
  En la fisura anal crónica, la *nitroglicerina 0,2%* produce relajación de los esfínteres anales, lo que aumenta la llegada de sangre a la zona, mejorando la cicatrización. Se harán dos aplicaciones/día durante seis semanas. Se utilizará un guante clínico, se pondrá una pequeña cantidad de pomada sobre la yema del dedo y se aplicará con suavidad en el ano. La eficacia es del 60-90%, aunque la recidiva es alta (30%). No hay preparado comercial y por ello el médico prescribirá una fórmula magistral de *nitroglicerina, 0,2% excipiente graso*. Los efectos secundarios más frecuentes son cefaleas y mareos, y a causa de ello no es infrecuente el abandono del tratamiento. También es eficaz un antagonista del calcio, *diltiazem tópico 2%*, con resultados parecidos a la nitroglicerina tópica y menos efectos adversos. El *diltiazem gel* se prepara como fórmula magistral.

- Toxina botulínica
  La toxina botulínica es una neurotoxina producida por el germen *Clostridium botulimun* que inhibe la transmisión nerviosa y provoca incapacidad para la contracción muscular. Por su aplicación local, sólo interfiere la transmisión neuromuscular en el lugar de aplicación,

Enfermedades del ano

porque se une rápida y firmemente al músculo. A dosis bajas, es excepcional la toxicidad sistémica. El tiempo para que aparezca la acción es de 2-3 días, con efectos máximos a los 5-6 días de la inyección. La duración de la acción es de seis semanas a seis meses. En la fisura anal crónica, la inyección local de toxina botulínica (20 a 25 unidades) es eficaz y sin efectos secundarios importantes. Sin embargo, la recidiva es muy elevada (42 %), por lo que se debe reinyectar periódicamente.

- Pomadas cicatrizantes
Aunque no hay estudios sólidos que las avalen, algunos autores recomiendan aplicar pomadas cicatrizantes unidas a antibióticos locales. Por ejemplo, se recomienda el *extracto de centella asiática* unido a *neomicina (Blastoestimulina®)* aplicados sobre la fisura, después de evacuar y al acostarse, durante cuatro semanas.

Tratamiento quirúrgico

El tratamiento quirúrgico consiste en la sección del esfínter anal interno. Con ello se corrige su tono excesivo, que probablemente es la causa más importante de la aparición de la fisura. La técnica quirúrgica es sencilla y obtiene resultados excelentes, aunque con un inconveniente: se compromete la continencia, pero afortunadamente no de forma grave. Por este inconveniente, se recomienda como primera línea de tratamiento para pacientes jóvenes y queda como tratamiento de recurso cuando fallan las medidas generales y los fármacos generales y locales en pacientes de más edad.

¿Qué se entiende por picor (prurito) anal?

El prurito de ano puede deberse a gran variedad de causas: dermatitis atópica, dermatitis de contacto producida por los componentes de algún tipo de jabón o gel, hongos, parásitos, oxiuros o lombrices, hemorroides, fístulas, diabetes, falta de higiene o excesiva higiene (abuso de jabón o pomadas).

El tratamiento del prurito anal es el de la causa que lo provoca si ésta se puede identificar, aunque siempre debe tratarse el síntoma con el fin de romper el círculo vicioso del picor—lesiones por rascado—picor. Para ello, se deben establecer una serie de medidas higiénico-dietéticas generales y asociar fármacos, en caso necesario.

Tratamiento oral
- Antihistamínicos de primera generación
  El más conocido es la *hidroxicina (Atarax®)*. Su efecto secundario más frecuente es la sedación (sueño), y por ello está indicado un comprimido de 25 miligramos al acostarse en el prurito de predominio nocturno.

- Antihistamínicos de segunda generación
  Son más selectivos y no producen sedación. Tienen una vida media más larga que los de primera generación. A este grupo pertenecen *desloratadina (Aerius®), Cetirizina (Zyrtec®), Ebastina (Ebastel®), loratadina (Clarytine®)* y otros, todos a la dosis de un comprimido al día.

Tratamiento tópico

- Corticoides
  Véase corticoides tópicos en el tratamiento de las hemorroides.

- Otros fármacos tópicos
  Capsaicina (Capsidol®), crema al 0,0025% en envase de 30 o 60 gramos que se aplica cada 6-8 horas, inhibe la transmisión del impulso doloroso del picor. Es necesario su uso prolongado hasta conseguir el efecto terapéutico deseado.

- Preparados con combinación de varios principios activos
  En casos de prurito anal asociado a dermatitis perianal de posible origen infeccioso, por hongos o bacterias, puede utilizarse «un tratamiento de prueba» con fármacos tópicos comercializados que presentan una asociación de corticoide, antifúngico y antibiótico.

  Positon® crema o ungüento (por 1 gramo: sulfato de neomicina 2,5 miligramos, nistatina 100.000 UI, triamcinolona 1 miligramo). Dosis: 2 a 3 aplicaciones al día. Duración: dos semanas, como máximo.

  Mitosyl® (1 gramo: colecalciferol 20 UI, retinol 250 UI, óxido de cinc 270 mg). Se utiliza como tratamiento sintomático debido su «efecto regenerante» o «emoliente» cutáneo cuando hay excoriaciones, irritaciones, escoceduras y picor de la piel perianal.

Tratamiento de la enfermedad de base

Tal como se ha indicado, el prurito anal puede ser secundario a alguna patología anal de las descritas (hemorroides, fisura anal), a patologías infecciosas cutáneas y a otras enfermedades cutáneas (psoriasis, eczema atópico, dermatitis seborreica o de contacto, liquen plano) o sistémicas (diabetes, uremia). El tratamiento será el específico de la patología en cuestión.

¿Qué es la fístula anorrectal o fístula de ano?

Es un trayecto anormal que se instaura desde el ano, o incluso desde el recto, hasta la piel situada en los alrededores del ano. En general, se inicia al infectarse una glándula en la que el pus busca salida, y lo hace a través de este trayecto. A veces es consecuencia de un absceso de pus (muy doloroso y que debe ser drenado) y a veces puede ser secundaria a la enfermedad de Crohn. La fístula excreta el pus y puede ser o no dolorosa. El médico determinará su extensión y si tiene más de una abertura, para poder hacer un buen tratamiento. El único tratamiento eficaz es la extirpación quirúrgica de la fístula para que cicatrice.

¿Qué se entiende por enfermedad pilonidal?

Es la causada por infección de los folículos pilosos de la zona superior del surco intergluteo (división entre las nalgas). Generalmente ocurre en varones jóvenes y con mucho vello. Cuando se infecta, provoca dolor e hinchazón de la zona, es el absceso pilonidal, que debe ser abierto qui-

Enfermedades
del ano

rúrgicamente. Cuando se produce una pequeña herida con salida crónica de pequeñas cantidades de pus, es consecuencia del llamado seno pilonidal, que debe ser extirpado quirúrgicamente.

Puntos clave:

- **Las hemorroides** son venas que recogen la sangre de la zona recto-anal y que cuando se dilatan e inflaman dan molestias y pérdida de sangre roja por el ano.
- **El tratamiento de las hemorroides** se basa en:
  - Medidas generales: dieta rica en fibras, evitar esfuerzos defecatorios e higiene adecuada después de evacuar.
  - Tratamiento oral: para el estreñimiento, fibra (*plantago ovata,* salvado de trigo, *metilcelulosa*); para desinflamar las venas hemorroidales, fármacos venotónicos (*diosmina, hidrosmina, troxerutina*).
  - Tratamiento tópico: aliviar el dolor y la inflamación con pomadas o cremas de corticoides y de anestésicos (*acetónido de triamcinolona, prednisolona, dipropionato de beclometasona, acetónido de fluocinolona*).
- **La fisura anal** es un «corte», desgarro pequeño, herida o úlcera longitudinal que produce un dolor intenso durante la evacuación (sobre todo de heces duras) que persiste durante

---

unas horas, para ir cediendo hasta la nueva evacuación.

- **El tratamiento de la fisura anal crónica** es la intervención quirúrgica, que es fácil y muy eficaz. La alternativa a la cirugía es la aplicación en el ano de *nitroglicerina 0,2%*, que produce relajación de los esfínteres anales y aumenta la llegada de sangre a la zona afectada mejorando la cicatrización. En caso de fracaso, se puede intentar la inyección local de *toxina botulínica*.

- **El prurito (picor) de ano** puede producirse por: alteraciones de piel (dermatitis atópica o de contacto), hongos, parásitos (oxiuros o lombrices), hemorroides, fístulas, diabetes, falta de higiene o excesiva higiene (abuso de jabón o pomadas).

- **El tratamiento del prurito anal** es el de la causa que lo provoca si se identifica, aunque siempre debe tratarse el síntoma con el fin de romper el círculo vicioso de picor-lesiones por rascado-picor. El tratamiento del síntoma se basa en *antihistamínicos y corticoides tópicos*.

- La **fístula de ano** es un trayecto anormal que se instaura desde el ano, o incluso desde el recto, hasta la piel situada en los alrededores del ano. Su tratamiento es quirúrgico.

Enfermedades del ano

7. Incontinencia anal

¿Qué se entiende por incontinencia anal?

Se define como incontinencia anal la pérdida involuntaria y repetitiva del contenido rectal a través del ano (gases o heces) (véase figura 7.1.). Las personas con incontinencia anal tienen una disminución importante de calidad de vida, que implica tanto aspectos físicos como psicológicos,

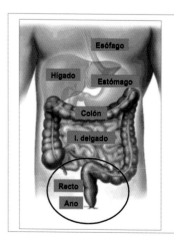

• **Pasiva:**

  Incapacidad de control.

• **Urgencia deposicional:**

  Incontinencia a pesar del intento voluntario para impedirlo.

• **Escape después de la evacuación:**

  Manchado de ropa interior después de una evacuación normal.

Figura 7.1. Incontinencia anal

pérdida de autoestima y aislamiento social. Con independencia de estos trascendentes aspectos, la incontinencia anal (escape líquido o sólido):

1.º Puede producir infecciones en el tracto urinario.
2.º Favorece y agrava las úlceras por decúbito.
3.º Es la segunda causa de ingreso en residencias geriátricas.

¿Es frecuente la incontinencia anal?

La prevalencia de esta afección no es bien conocida, ya que no es infrecuente su ocultación por comprensible vergüenza. De todas maneras, hay suficientes estudios epidemiológicos en los que se constata que algún grado de incontinencia afecta al 5% de la población general, siendo más frecuente en mujeres y aumentando con la edad. Alrededor del 10% de personas de más de 65 años tienen en mayor o menor grado este problema, aunque sólo una tercera parte consulta al médico. Tienen escapes diarios el 2,5% de la población, algún escape semanal el 4,5% y alguno mensual el 7,1%.

En un reciente estudio realizado en Rochester (EEUU) entre 2.800 mujeres, la prevalencia de incontinencia anal fue tan importante como del 12%, siendo de un 5% en la 3.ª--5.ª décadas de la vida y de un 22% a partir de la 6.ª década. En un estudio español que involucró a un menor número de mujeres, el porcentaje global fue de alrededor del 14%. De todas maneras, hay que precisar que en estos estudios epidemiológicos se contabilizan incluso las incontinencias de hasta un escape mensual, que afectan sólo levemente la calidad de vida de los pacientes.

Por tanto, y como resumen, este problema es significativo e importante a partir de los 65 años, con una frecuencia aproximada del 2% en los hombres y del 5% en las mujeres.

¿Cuáles son los mecanismos de la continencia anal?

La continencia recto-anal esta regulada y controlada por tres mecanismos:

1. **El tono muscular del canal anal.** El mecanismo de cierre del ano consta de dos estructuras anatómicas diferenciadas. El esfínter anal interno (válvula), que es el responsable del 80-90% del tono basal continuo y de carácter involuntario. El esfínter anal externo es de contracción voluntaria o refleja. La contracción voluntaria se produce cuando se tienen deseos de evacuar y hay que esperar el momento socialmente oportuno. La contracción es refleja cuando el esfínter anal externo acude en ayuda del esfínter interno en momentos en que hay un aumento de la presión intraabdominal, por ejemplo, al toser, estornudar, etcétera (véase figura 7.2.).

2. **La capacidad de almacenamiento del recto.** El recto tiene una cierta capacidad de almacenamiento que tiene un primer límite (sensación de ganas de evacuar) y un segundo límite (necesidad imperiosa de evacuar).

3. **La sensibilidad rectal.** El nivel de percepción está alterado en patologías orgánicas y funcionales del colon y recto, es decir, hay una «hipersensibilidad» o «hiperpercepción» del recto a la distensión. Si no se tiene un baño

cerca, puede producirse el escape. Es la llamada incontinencia por urgencia deposicional.

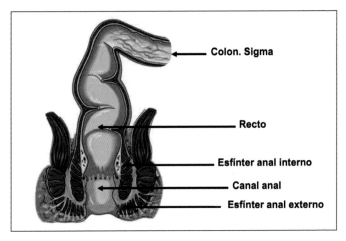

Figura 7.2. Incontinencia anal. Esquema región ano-rectal

La distensión rectal producida por la llegada del contenido del colon causa una relajación transitoria del esfínter anal interno, que permite la percepción de la naturaleza del contenido (gas, líquido o sólido) por los receptores sensoriales del canal anal. Este mecanismo se acompaña de una contracción refleja del esfínter anal externo que ayuda a la continencia. Si es un momento socialmente oportuno, se produce la evacuación mediante la relajación de los dos esfínteres.

¿Qué puede provocar incontinencia anal?

La incontinencia anal se produce cuando se alteran las estructuras o las funciones recto-anales que intervienen en la continencia.

1. **Alteraciones anatómicas.** Consecuencia de lesiones en los esfínteres producidas durante el parto vaginal, intervenciones quirúrgicas de hemorroides, fisuras, fístulas, prolapso rectal, secuelas de infecciones ano-rectales y de enfermedad de Crohn con afectación anal, y tumores de recto y de ano.

2. **Enfermedades neurológicas.** Trastornos del sistema nervioso central (accidente vascular cerebral, lesiones de la medula espinal, esclerosis múltiple, demencia o retraso mental). Trastornos del sistema nervioso periférico, como neuropatía por diabetes o alteraciones de la sensibilidad rectal.

3. **Trastornos de los músculos que forman los esfínteres.** Debilidad de estos músculos por miopatías (enfermedades generales de la musculatura), afectación nerviosa y muscular local por radioterapia, inflamación del recto y ano por enfermedad inflamatoria intestinal, etcétera.

4. **Alteraciones de las características de las heces y/o motilidad del colon.** Diarrea importante, síndrome del intestino irritable.

La incontinencia fecal en la infancia afecta a menos del uno por ciento de los niños menores de siete años (es excepcional en niñas) y se debe a malformaciones congénitas, o con mayor frecuencia a «encopresis». Éste es un síndrome en que hay movimientos intestinales irregulares de causa desconocida que conducen a retención de heces en el recto, el cual se distiende y, por un mecanismo reflejo, mantiene rela-

Incontinencia anal

jado permanentemente el esfínter anal interno. El esfínter anal externo no puede mantener continuadamente la continencia por agotamiento de la fibras musculares, lo que conduce a escapes de heces. Esta alteración de la encopresis es debida generalmente a conflictos en la esfera psíquica del niño, que se agravan lógicamente con la incontinencia.

¿Cómo y para qué se estudia la incontinencia anal?

Los objetivos que el médico debe alcanzar con el interrogatorio y las exploraciones son:

1. Tomar conciencia real de la importancia del problema y su repercusión sobre la vida familiar, social y laboral del paciente.

2. Tratar de identificar enfermedades orgánicas que puedan producirla, como tumores de recto (es poco frecuente que sean la causa de incontinencia como manifestación más importante), enfermedad inflamatoria intestinal, etcétera. Asimismo, tratará de identificar lesiones anales como fístulas, hemorroides u otros trastornos locales (prolapso rectal y el infrecuente tumor anal) o generales (enfermedad neurológica) tratables que puedan ser la causa de la incontinencia.

Es importante descubrir si el paciente tiene incontinencia, ya que con alguna frecuencia el paciente siente vergüenza y no aporta esta información de forma espontánea. Una vez establecida su presencia, el médico debe intentar evaluar su gravedad. Se debe definir si la incontinencia se produce sólo a gases o con heces líquidas o muy blandas.

Una vez evaluada la importancia del problema, el médico se plantea en primer lugar la posibilidad de que exista enfermedad local (tumor, enfermedad inflamatoria intestinal, etcétera) o sospecha de esfínteres dañados (en el parto, en intervenciones quirúrgicas previas sobre el ano, etcétera).

La ecografía del conducto anal es una técnica útil para conocer las características anatómicas de los esfínteres. Si no hay motivo de sospecha en cuanto a este apartado o si la ecografía endoanal no demuestra lesión esfinteriana, la incontinencia puede ser debida a una debilidad, sin lesión orgánica de esfínteres, o bien a alteración de la función anorrectal. Esta función se estudia mediante la manometría anorrectal, que permite la medición del tono basal del canal anal y de la contracción voluntaria y refleja. Asimismo, permite medir la sensibilidad y distensibilidad rectal.

¿Se puede hacer algo para prevenir y tratar la incontinencia anal?

La incontinencia anal puede curarse o al menos mejorar en la gran mayoría de los pacientes. La información que aportan los estudios realizados es fundamental para el tratamiento. Si se demuestra la existencia de una alteración estructural de los esfínteres, la corrección quirúrgica de la lesión es la mejor opción.

Sin embargo, en un alto porcentaje de pacientes la base del tratamiento es conservadora, ya que no suelen detectarse lesiones. Si hay diarrea y se conoce su causa, ésta debe ser controlada con tratamiento específico. Si no hay causa conocida, la diarrea se trata de forma sintomática

Incontinencia anal

con agentes formadores de masa *metil celulosa (Metil celulosa®, Muciplasma®), plantago ovata (Plantaben®, Metamucil®*, etcétera) y/o antidiarreicos como *loperamida (Fortasec®)*. Los *antidepresivos tricíclicos: amitriptilina (Tryptizol®), nortriptilina (Paxtibi®, Deprelio®)* a dosis bajas se utilizan empíricamente y con un notable éxito en pacientes con incontinencia y/o síndrome del intestino irritable. Su utilidad se basa en que disminuyen la motilidad del colon y quizá la hipersensibilidad rectal (véase tabla 7.1.).

- **Cuando hay alteración estructural esfinteriana:**
  Reparación quirúrgica
- **Cuando hay diarrea causa fundamental o coadyuvante:**
  Tratamiento específico de su causa etiológica
  Medidas higiénico-dietéticas: agentes «formadores de masa» (*metil celulosa, plantago ovata*) o agentes antidiarreicos (*loperamida, racecadotrilo, fosfato de codeína*)
- **Cuando hay estreñimiento como causa fundamental:**
  Medidas higiénico-dietéticas y agentes «formadores de masa».
- **Cuando hay hipersensibilidad rectal y diarrea:**
  Antidepresivos tricíclicos a dosis bajas (*amitriptilina, nortriptilina*, etcétera).

Tabla 7.1. Esquema de tratamiento de la incontinencia anal

En todos los casos se debe recomendar la defecación a intervalos regulares y a la misma hora (por ejemplo, intentar la evacuación e incluso forzarla con la aplicación de supositorios de glicerina e incluso pequeños enemas después de una ingesta, para aprovechar el reflejo gastrocólico), y de esta forma mantener el recto libre de heces el mayor tiempo posible. Este método es especialmente útil en niños con «encopresis».

El entrenamiento con técnica de bioretroalimentación (*biofeedback*) es una forma de aprendizaje instrumental en la que una cierta información relativa a un proceso fisiológico que, en condiciones normales, es inconsciente, se presenta al sujeto de forma consciente con la finalidad de que logre modificarlo. En el caso de incontinencia, el proceso a modificar es la contracción del esfínter anal externo mediante el aprendizaje de ejercicios del ano y de todo el suelo de la pelvis para fortalecer esta musculatura y conseguir una continencia más apropiada.

La técnica de *biofeedback* sirve para que el paciente pueda visualizar en la gráfica que aparece en una pantalla de ordenador (conexión del sistema informático con sondas recto-anales que miden la fuerza que realizan los esfínteres del ano) cómo está realizando los ejercicios y cómo puede conseguir que sean más eficaces.

Los ejercicios consisten fundamentalmente en contracciones voluntarias del ano durante aproximadamente medio minuto, descanso de medio minuto y repetición del ciclo durante unos diez minutos. Al principio es aconsejable realizarlos por la mañana y por la noche. Después, en caso de mejoría, una sola vez al día. Es una técnica inocua, donde es imprescindible que el paciente sea capaz de cooperar, tanto en el aprendizaje de la técnica como en la voluntad de realizarla en su domicilio con la asiduidad y frecuencia recomendadas.

Puntos clave:

- Se define como incontinencia anal la pérdida involuntaria y repetitiva del contenido rectal a través del ano (gases o heces). Condiciona una clara disminución en la calidad de vida, que implica tanto aspectos físicos como psicológicos (pérdida de autoestima y aislamiento social).
- La incontinencia anal es un problema importante, sobre todo a partir de los 65 años. Su frecuencia aproximada es del 2% en hombres y del 5% en mujeres.
- La incontinencia se produce por:
  — Alteraciones anatómicas. Lesiones en el ano por parto, operación de hemorroides, fisura, fístula y tumores de recto/ano.
  — Enfermedades neurológicas. Accidente vascular cerebral, lesión de la medula espinal, esclerosis múltiple, demencia, neuropatía por diabetes, etcétera.
  — Trastornos del músculo esfínteriano. Debilidad por enfermedad general del músculo, afectación nerviosa y muscular local por radioterapia, inflamación del recto y ano en la

enfermedad inflamatoria intestinal, etcétera.
— Heces blandas o líquidas y/o aumento motilidad del colon. Diarrea importante, síndrome del intestino irritable.

- La ecografía del conducto anal es una técnica útil para visualizar las características anatómicas de los esfínteres del ano. Si la ecografía endoanal no demuestra lesión, la incontinencia puede deberse a debilidad de los esfínteres o a alteración de la función ano-rectal, la cual se estudia con manometría.

- Si hay diarrea se trata la causa o bien los síntomas con *metil celulosa, plantago ovata,* etcétera, y/o antidiarreicos como *loperamida.* Los *antidepresivos tricíclicos* a dosis bajas tienen un notable éxito en pacientes con incontinencia anal y/o síndrome del intestino irritable. Se recomienda estimular la defecación a intervalos regulares y a la misma hora. Si se demuestra debilidad de esfínteres y/o alteración funcional ano-rectal, puede ser útil la técnica de *biofeedback.*

Anexo I

Pequeño diccionario de términos médicos utilizados en el texto

A

Abdomen. Parte del organismo humano que, con el tórax, es el tronco de la persona.

Absceso. Colección purulenta, generalmente delimitada por una pared, constituida por un tejido de granulación que intenta constituir una barrera que limite la infección.

Accidente vascular cerebral. Episodio agudo de afectación de la circulación cerebral (por defecto de llegada de sangre al cerebro o por hemorragia). Las manifestaciones clínicas dependen de la zona cerebral afectada y de su gravedad. La afectación más conocida es aquella en que queda paralizado medio cuerpo (hemiplejía) y que requiere de fisioterapia para su recuperación al menos parcial.

Acolia. Pérdida de la coloración normal de las heces, que aparecen blanquecinas, generalmente como consecuencia de una falta de llegada de bilis al intestino.

Adictivo. Aquello cuyo empleo repetido crea necesidad y hábito, especialmente drogas.

Afasia. Pérdida del habla a consecuencia de alteración cerebral.

Afta. Úlcera pequeña que se forma en la membrana mucosa de la boca o tubo digestivo.

Amenorrea. Ausencia de menstruación.

Analgésico. Medicamento que produce analgesia, es decir, ausencia o disminución de dolor.

Angiodisplasia. Anomalía vascular de la mucosa, con dilataciones de los pequeños vasos arteriales y venosos que pueden dar hemorragias digestivas o pérdidas ocultas de sangre en heces que condicionan anemias crónicas.

Anorexia. Disminución significativa del apetito.

Antagonista. Compuesto natural o sintético que interfiere la síntesis o función de una sustancia por un mecanismo de competencia.

Anticuerpo. Sustancia existente en el organismo vivo o producida en él por la introducción de un antígeno y que puede oponerse a la acción de bacterias, toxinas, etcétera.

Antígeno. Toda sustancia que, al penetrar en el medio interno de un organismo animal, forma anticuerpos, determinando una reacción inmunitaria (defensa contra gérmenes o virus) o anafiláctica (reacción exagerada del organismo).

Ascitis. Acumulación de líquido en la cavidad abdominal, que cuando es abundante determina un abombamiento del abdomen.

Astenia. Sensación acusada de debilidad y cansancio referida a todo el cuerpo.

Autoanticuerpo. Anticuerpo frente a antígeno producido por el propio individuo.

Autoinmunidad. Fenómeno biológico por el que el sistema inmunitario-defensivo de un organismo reacciona anormalmente contra sus propios antígenos. Si esta reacción es intensa, provoca enfermedades de autoagresión llamadas enfermedades autoinmunitarias.

B

Bario. El sulfato de bario se presenta en forma de polvo blanco, insoluble en agua, inabsorbible y que, suspendido en agua, se emplea en radiología digestiva como sustancia de contraste para hacer visible el tubo digestivo.

Biopsia. Extracción y examen microscópico de un pequeño fragmento de tejido vivo, que permite precisar las características del tejido lesionado y conocer el grado de benignidad o malignidad de la muestra examinada.

Bradipsiquia. Lentitud de procesos psíquicos, tanto de comprensión como de expresión.

Brida. Estructura anatómica de formación patológica (consecuencia de una inflamación o de una intervención quirúrgica abdominal), de forma filamentosa.

Bulimia. Trastorno alimentario caracterizado por la sensación imperiosa e incontrolable de intenso apetito.

C

Cálculo. Concreción sólida de volumen y aspecto variable que aparece en la vesícula biliar, vulgarmente denominada piedra.

Caquexia. Alteración profunda del organismo caracterizada por adelgazamiento extremo, astenia, apatía, piel pálida y seca.

Carcinoma. Tumor maligno.

Cardias. Orificio por el cual el esófago comunica con el estómago.

Cáustico. Sustancia capaz de ejercer acción química corrosiva sobre tejidos orgánicos.

Ciego. Porción inicial del colon situado en el lado derecho. Comunica con el intestino delgado mediante la válvula ileo-cecal. En esta parte del colon se sitúa el apéndice.

Coágulo. Formación rojizo-negruzca integrada por elementos sanguíneos aglutinados por un proceso de coagulación.

Colangitis. Infección de origen bacteriano de los conductos biliares que conduce a su inflamación y que se asocia a una obstrucción (generalmente por cálculo o tumor) de los propios conductos.

Colecistitis. Inflamación, habitualmente de origen infeccioso, de la vesícula biliar.

Colédoco. Conducto biliar principal que lleva la bilis desde la vesícula hasta el duodeno.

Colon. Es el intestino grueso. Tiene aproximadamente una longitud de 1,5 metros y un grosor medio de 5 centímetros. Sus funciones principales son la absorción de agua para espesar el contenido que le llega del intestino delgado, su transporte y finalmente su expulsión al exterior a través del recto y ano.

Colostomía. Creación quirúrgica de una abertura (estoma) del colon en la superficie cutánea abdominal («ano contra natura»).

Conciencia. Percepción de la propia capacidad de respuesta ante estímulos y concienciación de la propia existencia, condición, actos, etcétera.

D

Decúbito. Postura del cuerpo en estado de reposo sobre un plano horizontal.

Degeneración. Estado patológico de la sustancia viva (órgano, tejido o célula) que se manifiesta por modificaciones de la estructura morfológica o por alteraciones físicas o químicas, que inicialmente son reversibles, pero si persisten las causas que las han producido (alcohol, grasa, etcétera), pueden ser permanentes.

Deglución. Paso de sustancias desde la boca al estómago (sinónimo de tragar).

Disentería. Presencia de abundantes deposiciones en poca cantidad, con sangre y moco, generalmente acompañada de tenesmo (sensación molesta de evacuación inacabada), fiebre, malestar general y anorexia. Puede ser producida por amebas (*Entamoeba hystolytica*), por bacilos (*Shigella*) o por parásitos.

Disfagia. Dificultad en la deglución de líquidos y/o sólidos desde la boca al estómago por un trastorno orgánico o funcional.

Displasia. Desarrollo anormal de un tejido o de un órgano. En el libro se referirá al conjunto de alteraciones histológicas que presentan una cierta predisposición al cáncer.

Divertículo. Apéndice en forma de bolsa o saco, de tamaños diversos, que aparece en una cavidad o tubo principal. Pueden ser congénitos, aunque la mayoría son adquiridos.

Ectopia. Anomalía de la situación o posición de un órgano o parte de él. En nuestro escrito se hace referencia a la situación anormal de un tejido en un órgano.

Edema. Presencia de un exceso de líquido en un determinado lugar del organismo.

Edulcorante. Producto que es dulce y sin aporte energético (sacarina, ciclomatos, etcétera).

Enteropatía. Denominación genérica de las enfermedades intestinales.

Enterotoxina. Toxina que actúa específicamente sobre la mucosa intestinal. Por ejemplo, la enterotoxina estafilocócica, que se produce en alimentos contaminados.

Epigastrio. Región superior y media del abdomen (corresponde a la zona de estómago).

Epistaxis. Hemorragia nasal.

Epitelio. Tejido que recubre las superficies internas y externas del cuerpo. Está formado por células, separadas por una pequeña sustancia que le sirve de soporte y unión.

Eritema. Zona enrojecida debido a un aumento de la sangre contenida en los pequeños vasos sanguíneos (capilares). Generalmente se refiere a la piel, pero también y por extensión se puede referir a otros epitelios, como los del tubo digestivo.

Erradicación. Curación radical de una enfermedad o de una infección. Campaña de erradicación se refiere al conjunto de medidas higiénicas y profilácticas empleadas para eliminar enfermedades que se presentan de forma endémica en determinadas zonas.

Esfínter. Conjunto muscular en forma de anillo que se encuentra alrededor de orificios de entrada o salida de ciertas cavidades naturales y que al contraerse los cierran.

Esófago. Conducto musculomembranoso, recubierto interiormente por epitelio escamoso, que se extiende desde la faringe al estómago y cuya principal función es el transporte de lo ingerido gracias a sus movimientos peristálticos.

Espasmo. Contracción tónica involuntaria y persistente de un músculo o grupo muscular, generalmente de fibra lisa, que es la fibra mayoritaria en el tubo digestivo.

Esprue. Síndrome producido por malabsorción de grasas.

Estenosis. Estrechez patológica de un conducto o de un orificio.

Estomatitis. Inflamación de la mucosa bucal (no es inflamación del estómago).

Etiología. Estudio de las causas de una determinada enfermedad.

Fármaco. Sustancia orgánica o inorgánica, natural o sintética, capaz de producir en el organismo vivo modificaciones anatómicas o funcionales. Cuando se hace referencia al tratamiento de una determinada enfermedad recibe el nombre de medicamento.

Farmacovigilancia. Conjunto de métodos que tienen por objetivo la identificación y valoración de los efectos secundarios y el riesgo de los fármacos en el conjunto de la población o en un subgrupo específico de la misma.

Fenotipo. Conjunto de caracteres que un ser vivo tiene como resultado de la interacción entre su genotipo y el medio en que se desarrolla.

Ferritina. Proteína que representa el almacén fisiológico del hierro y que se localiza en hígado, bazo, medula ósea y también en las células epiteliales de la mucosa intestinal.

Fibrosis. Formación inadecuada y patológica de tejido fibroso, como consecuencia de un proceso patológico, por reacción o reparación, habitualmente después de un proceso inflamatorio agudo o crónico.

Fístula. Trayecto patológico, congénito o adquirido, que comunica una cavidad orgánica, normal o patológica, con el exterior o con otra cavidad.

Fisura. Solución de continuidad (pequeña herida) superficial.

Flatulencia. Estado de quien padece de flatos (acumulación de gas en el tubo digestivo y, en sentido figurado, expulsión de gas por el ano).

Flebitis. Proceso inflamatorio en un segmento del sistema venoso, que provoca en la zona afecta dolor, edema, hipertermia local y, a veces, fiebre e impotencia funcional. Con alguna frecuencia, la inflamación de la pared venosa se acompaña de la formación de un trombo íntimamente adherido, por lo que a veces se denomina tromboflebitis.

Fructosa. Es un azúcar que, conjuntamente con la glucosa y la sacarosa, se encuentra fundamentalmente en la fruta y en la miel.

G

Gastrectomía. Intervención quirúrgica en la que se extirpa una parte más o menos considerable de estómago (gastrectomía parcial) o todo el órgano (gastrectomía total).

Gástrico. Que tiene relación con el estómago.

Gastritis. Inflamación de la mucosa gástrica. Las agudas aparecen por la ingestión exagerada de alimentos o bebidas alcohólicas, o por la ingestión de alimentos contaminados o en mal estado. Provoca dolor en epigastrio, nauseas, vómitos, halitosis y, a veces, diarrea por enteritis acompañante. La gastritis crónica, habitualmente superficial, es consecuencia de la infección de la mucosa por el germen *Helicobacter pylori*, que suele ser asintomática (es decir, sin síntomas).

Gastrocólico (reflejo). Reflejo que se produce en los bebés, pero también en épocas más tardías de la vida, en el que la llegada de alimentos al estómago provoca un reflejo de contracción del colon y necesidad de evacuar.

Gastroparesia. Disminución e incluso anulación de los movimientos peristálticos del estómago que producen el vaciado de su contenido al duodeno.

Gastropatía. Denominación genérica de cualquier enfermedad o alteración gástrica.

Glándula. Conjunto de células que posee la propiedad de secretar sustancias.

ANEXO I

Glicemia. Concentración de glucosa en sangre.

Granuloma. Lesión nodular microscópica, formada por tejido conjuntivo e infiltración de células diversas (algunas gigantes).

Halitosis. Mala olor del aire espirado por algunas personas (mal aliento).

Hemangioma. Tumor benigno vascular.

Hematemesis. Vómito de sangre, que puede ser de sangre roja u oscura.

Hematoquecia. Presencia de sangre en las heces. Cuando la sangre es roja recibe el nombre de rectorragia, y si es negra, melena.

Hemiplejia. Síndrome que se caracteriza por la abolición o disminución significativa de la movilidad en una mitad del cuerpo, como consecuencia de un accidente vascular cerebral que ha dejado lesión cerebral.

Hemoglobina. Ferroproteínas que se encuentran en los hematíes (glóbulos rojos) de la sangre y que actúan como transportadoras de oxígeno.

Hemograma. Conjunto de datos hematológicos de un estudio elemental de la sangre, que incluye hemoglobina, hematocrito, hematíes, leucocitos y plaquetas.

Hemostasia. Hecho fisiológico o conjunto de maniobras manuales o instrumentales que tienen por objetivo detener una hemorragia.

Hepatoesplenomegalia. Aumento simultaneo del tamaño de hígado y bazo.

Hepatomegalia. Aumento del tamaño del hígado.

Hepatopatía. Denominación genérica de las enfermedades del hígado.

131

Hernia. Salida parcial o incluso total de una víscera por una abertura anormal en la pared de su receptáculo.

Hiperémesis. Vómitos repetitivos e incoercibles

Hiperemia. Acumulación de sangre en una determinada región del organismo.

Hiperestesia. Aumento de la sensibilidad.

Hipertermia. Aumento de la temperatura del cuerpo.

Hipertrofia. Aumento de tamaño de un órgano o de parte de él.

Hipocolia. Color más claro de las heces como consecuencia de la menor llegada de bilis al intestino, por defecto de producción (hepatopatía) o por obstrucción de las vías biliares.

Hipocondría. Trastorno mental que se caracteriza por exagerada ansiedad con respecto a la propia salud y tendencia a exagerar los sufrimientos reales o imaginarios.

Hipocondrio. Cada una de las dos partes laterales en el abdomen superior situadas a un lado y otro del epigastrio debajo de la parrilla costal.

Hipovolemia. Disminución del líquido circulante en el organismo.

Histología. Rama de la biología que estudia la composición y estructura microscópica de los tejidos.

Ictericia. Coloración amarilla de la piel y de la esclerótica del ojo provocada por un aumento de bilirrubina (componente de la bilis) en sangre.

Íleon. Porción distal del intestino delgado que comunica con el ciego.

Incontinencia. Emisión involuntaria, pero consciente, de una materia biológica (orina, heces).

Inhibidor. Algo que impide alguna acción química, fisiológica o enzimática.

Inmunidad. Dícese del estado de un organismo caracterizado por su capacidad de reaccionar ante un antígeno sin manifestaciones adversas.

Inmunocompetencia. Capacidad de respuesta de un organismo al estímulo de antígenos.

Inmunodeficiencia. Defecto de respuesta inmunitaria de un organismo, que puede ser primaria por defecto congénito de las células que producen la inmunocompetencia, o adquirida, por infección del virus del SIDA o secundaria a tratamientos que provocan inmunosupresión (quimioterápicos, tratamientos con irradiación, etcétera).

Insuficiencia. Estado de inferioridad funcional de un órgano que no le permite cumplir adecuadamente su papel en la actividad de un organismo.

Isquemia. Deficiencia relativa o absoluta de la circulación de la sangre en una zona del organismo.

Lábil. Sustancia inestable que se inutiliza o descompone con facilidad. En psicología, persona con expresión incontrolada de sus emociones y/o emocionalmente poco estable.

Lactosa. Disacárido natural formado por glucosa y galactosa, que se encuentra en la leche de los mamíferos.

Leucocito. Llamados glóbulos blancos. Son células nucleadas que integran la sangre y segregan sustancias capaces de destruir gérmenes y neutralizar toxinas.

Linfocito. Leucocito con un solo núcleo presente en la sangre y en el tejido linfoide. Su función se encuentra ligada a los mecanismos de defensa inmunitaria.

Linfoma. Tumores malignos de tejido linfático, que suelen situarse en ganglios linfáticos, pero también en regiones extraganglionares (estómago, intestino, etcétera).

Lipotimia. Perdida incompleta y fugaz del conocimiento como consecuencia de una irrigación cerebral momentáneamente deficiente.

Litiasis. Formación de cálculos en las vías secretoras de ciertos órganos (hígado, riñón) o de ciertas glándulas (salivares).

Malabsorción. Deficiente transferencia de sustancias nutritivas a través del intestino.

Mediastino. Espacio situado en medio de la caja torácica, comprendido por los lados por las dos pleuras y pulmones, por detrás por la columna vertebral, por delante por el esternón y las costillas y por debajo por el diafragma.

Melena. Evacuación de heces negras y brillantes, como consecuencia de la degradación en el intestino de la sangre procedente de la parte alta del tubo digestivo. A veces puede proceder de otros segmentos, por ejemplo, por epistaxis.

Metaplasia. Proceso en que las células de un tejido se trasforman en células de otro tejido.

Metástasis. Aparición en algún punto del organismo de un proceso patológico, generalmente maligno, aunque también puede ser infeccioso, como resultado de una traslocación o siembra de un proceso idéntico preexistente en otra localización no continua.

N

Necrosis. Dícese de todas las variedades de muerte de los tejidos.

Nefropatía. Denominación genérica de las enfermedades renales.

Odinofagia. Dolor o malestar al deglutir alimentos.

Oral. En relación o perteneciente a la boca.

Oxiuro. Es la denominada popularmente lombriz.

Paracentesis. Punción de una cavidad con el fin de extraer el líquido allí almacenado con fines diagnósticos o terapéuticos.

Paraplejia. Parálisis de la mitad inferior del cuerpo por lesión o afectación de la medula espinal.

Parénquima. Tejido esencial o noble de un órgano.

Patología. Rama de la biología que estudia los trastornos anatómicos y fisiológicos que conforman las enfermedades, los síntomas y los signos por los que se manifiestan y las posibles causas que los producen.

Peritoneo. Membrana que reviste las paredes de la cavidad abdominal y la superficie externa de las vísceras que contiene (estómago, hígado, intestino, etcétera).

Prevalencia. Proporción de afectados por una determinada enfermedad por cada mil habitantes de una zona geográfica determinada.

Proctalgia. Dolor en la región recto-anal.

Profilaxis. Conjunto de medidas para preservar de enfermedad a personas y sociedad.

Prolapso. Caída o descenso de un órgano por deterioro de sus medios de fijación.

Prurito. Sensación desagradable que provoca ganas de rascar (picor).

Recidiva. Reaparición de una enfermedad o infección superada un tiempo antes.

S

Sacarosa. Es el azúcar de caña, y está formado por glucosa y fructosa.

Sesil. Unido sobre una base extensa, es decir, sin pedículo.

Sialorrea. Salivación exagerada.

Síndrome. Conjunto de síntomas y signos ocasionados por un determinado proceso patológico.

Somático. Se refiere al cuerpo (paredes, músculos, huesos, etcétera) en oposición a visceral (referente a las vísceras, como estómago, intestino, vejiga, etcétera).

T

Tejido. Conjunto de células de similares características, ordenadas regularmente y destinadas a realizar una actividad concreta.

Telangiectasia. Dilatación de las pequeñas arterias o venas, llamadas capilares.

Terapéutica. Parte de la medicina que se ocupa de los medios y las formas empleados en el tratamiento de enfermedades y de la manera de aplicarlos.

Tórax. Parte superior del tronco, situado entre el cuello y el abdomen.

Toxina. Cualquier sustancia que actúa nocivamente sobre los organismos vivos.

Anexo II
Procedimientos o pruebas diagnósticas
en patología digestiva

¿Cuáles son las pruebas analíticas más solicitadas en patología digestiva?

Aunque son muchas las pruebas analíticas que se pueden solicitar dependiendo de la sospecha diagnóstica, citaremos con una breve explicación las más comunes.

Hemograma. Como en el resto de especialidades y en exámenes de carácter preventivo, el hemograma es, sin duda, el más solicitado. El hemograma estudia y mide en sangre el número de diferentes tipos de células, su tamaño y apariencia. En general, se estudian los tres principales componentes de la sangre:

• Glóbulos rojos o hematíes. En el hemograma se mide su número, tamaño y apariencia y la cantidad de hemoglobina que contienen. La hemoglobina (Hb), unidad principal de los glóbulos rojos, es una proteína que transporta el oxígeno desde los pulmones hasta el resto de las células del organismo. Una vez realizada esta misión, recoge el dióxido de carbono (CO_2), gas producto de diversas re-

acciones químicas en las células y lo transporta nueva-
mente hasta los pulmones para ser allí eliminado por la
respiración.

* Células blancas o leucocitos. Se cuenta el número total y
  los tipos que hay en la sangre. Son células de «defensa»
  del organismo contra las infecciones. Aumenta su número cuando hay infección, por ejemplo, apendicitis, colecistitis, etcétera.

* Plaquetas. No son en realidad células de la sangre, aunque están en ella. Son fragmentos de grandes células
  formadoras de sangre. Las plaquetas son esenciales
  para la coagulación normal de la sangre.

Hierro. Como complemento del hemograma, sobre todo si
se sospecha la existencia de anemia, el médico solicita la
medición del hierro en sangre (sideremia). Se realiza para
saber si una anemia es por defecto de hierro o por otras
causas y también para diagnóstico o por lo menos sospecha de ciertas enfermedades, como hemocromatosis, que
es un trastorno del metabolismo del hierro que se acumula
en el organismo.

Glucosa. Indica la cantidad de azúcar en sangre. El azúcar
es una fuente de energía y es importante mantener adecuados niveles de glucosa en sangre que son controlados
por el sistema endocrino. Este sistema permite que el
azúcar sea almacenado o bien utilizado para obtener la
energía que se necesita en cada momento. La glucosa se
consigue de alimentos como azúcar, pan, cereales, etcéte-

ra. Cuando está persistentemente elevada se trata de la diabetes mellitus.

Hemoglobina glicosilada. Es una combinación química de hemoglobina y glucosa. El estudio de la hemoglobina glicosilada es una excelente forma de verificar si se están controlando bien los niveles de azúcar hasta por un período de tres meses.

Urea. La urea en sangre aumenta cuando hay una insuficiencia renal, hemorragias en el tubo digestivo y en situaciones de metabolismo aumentado. Los valores de urea en sangre pueden estar disminuidos durante el embarazo, cuando hay retención de líquidos o como resultado de una alimentación proteica deficiente.

Creatinina. La creatinina proviene de la musculatura y llega al riñón a través de la sangre. El riñón la filtra a la orina (la creatinina también puede ser medida en orina). La creatinina, conjuntamente con la urea, es un buen indicador de la función renal.

Colesterol. El colesterol es el resultado de tres clases de grasas en sangre:

- Lipoproteínas de alta densidad (HDL, la H de «High» en inglés).
- Lipoproteínas de baja densidad (LDL, la L de «Low» en inglés).
- Triglicéridos.

El colesterol proviene de productos animales como la carne, el huevo y los lácteos. Su consumo excesivo produce su aumento en sangre, que puede derivar en problemas cardíacos y circulatorios. El colesterol está presente en todas las células del organismo, sobre todo en sus membranas, y es necesario para producir hormonas y ácidos biliares. Al ser una grasa, no se disuelve en el agua de la sangre y necesita ir unido a proteínas que lo transportan (lipoproteínas).

Cuando hay hipercolesterinemia (incremento de colesterol en sangre), tienen importancia las lipoproteínas transportadoras del colesterol, ya que tienen misiones diferentes. La LDL-colesterol (lipoproteína de baja densidad) transporta colesterol desde el hígado hacia los tejidos del organismo, con lo que deposita colesterol en las arterias. Por otra parte, las de alta densidad (HDL-colesterol) hacen el camino contrario, sacan el colesterol de los tejidos, entre ellos las arterias, y lo transportan al hígado para su eliminación. Por ello, se asigna el calificativo de «colesterol malo» al LDL-colesterol (baja densidad), que deposita colesterol en las arterias, obstruyéndolas, y «colesterol bueno» al HDL-colesterol (alta densidad), que «limpia» el colesterol depositado en las arterias y lo hace llegar al hígado para su eliminación.

Está muy bien demostrado que disminuir el colesterol en sangre reduce de forma muy apreciable el riesgo de padecer enfermedades del corazón, como la angina de pecho y el infarto agudo de miocardio (cardiopatía isquémica). Si con un nivel de colesterol de 200 miligramos/decilitro el riesgo es 1, una cifra de 250 duplica el riesgo y una de 300 lo cuadruplica. Los niveles altos de colesterol representan una de las causas principales del desarrollo de arteriosclerosis, que produce obstrucciones arteriales en el organismo y el desarrollo no tan sólo de enfermedades cardíacas, sino también infartos cerebrales, obstrucción de las arterias de las piernas, hipertensión, etcétera.

Triglicéridos. Los triglicéridos forman parte de la grasa del cuerpo que suministra energía a nuestro organismo y son distintos del colesterol. También son transportados por lipoproteínas en la sangre. Una dieta alta en grasas saturadas e hidratos de carbono (azúcares) y el alcohol elevan los niveles de triglicéridos. Aunque se han relacionado con la enfermedad cardiovascular, no todos los científicos coinciden en que su elevación en sangre constituya en sí misma un mayor riesgo coronario.

La amilasa. Es una enzima que se produce en el páncreas y que hidroliza polisacáridos, como almidón o glucógeno (los divide en moléculas más pequeñas capaces de ser absorbidas). Cuando hay lesión del páncreas, sobre todo en el caso de pancreatitis agudas, la amilasa sérica aumenta a las pocas horas del inicio del proceso inflamatorio y regresa a la normalidad dentro de las siguientes 48 horas.

La lipasa. Es una enzima que se produce en el páncreas y que interviene en la digestión de las grasas. Se eleva cuando hay inflamación del páncreas (pancreatitis). Su elevación en sangre es más lenta que la de la amilasa en una pancreatitis aguda, pero permanece elevada más tiempo.

El estudio del funcionalismo del hígado y de su posible alteración, analiza parámetros que indican, con un alto grado de fiabilidad, la normalidad o alteración del hígado.

La bilirrubina. Es el resultado de la descomposición de la hemoglobina. En sangre se puede medir la bilirrubina indirecta, resultante de la descomposición de hemoglobina, la directa, que proviene de su paso por el hígado, y la total, que es la suma de ambas.

La bilirrubina directa es eliminada por el hígado y se segrega con la bilis a través de las vías biliares. Cuando se eleva la bilirrubina, la piel y los tejidos toman un color amarillo (ictericia). Cuando aparece, indica alteración de hígado u obstrucción de vías biliares. Algunas veces ciertas alteraciones de la sangre pueden dar niveles altos de bilirrubina y, por tanto, ictericia. Ello es debido a que se destruyen más hematies de lo normal, con lo que se libera más hemoglobina y aumenta la bilirrubina (sobre todo indirecta).

Transaminasas. Son diversas enzimas que se producen en el hígado. Se pueden medir en sangre y su elevación indica que hay una inflamación en el hígado, que puede ser por virus (los de la hepatitis), tóxicos (algunas setas), medicamentos, etcétera.

Tiempo de protrombina. Es el tiempo que la sangre necesita para formar coágulos. Sirve para el control de medicamentos anticoagulantes. En enfermedades cardíacas, en pacientes que han sufrido trombosis o a los que se ha implantado una válvula en corazón, la sangre tiende a formar coágulos que pueden taponar vasos sanguíneos y existe mayor posibilidad de infarto o accidente vascular cerebral.

Para evitar este riesgo se emplean fármacos anticoagulantes. La importancia de conocer este parámetro es controlar la dosis de anticoagulante necesaria para mantener la sangre lo suficientemente licuada para prevenir coágulos, pero con el mínimo riesgo de hemorragia.

Puesto que la protrombina se produce en el hígado, cuando éste se altera produce menos proteínas, entre ellas la protrombina, y como consecuencia se alarga el tiempo para formar el coágulo. Por ello, el tiempo o tasa de protrombina sirve como medida indirecta de la función hepática. Un paciente que no está tratado con anticoagulantes y tiene el tiempo de protrombina alargado, probablemente padece alguna alteración en su hígado.

Alfa-fetoproteína. Es una «proteína» que se produce en el hígado y en el saco amniótico del feto. La alfa-proteína está presente en el feto en niveles altos en los primeros meses de gestación y va disminuyendo hasta el nacimiento. En las personas adultas la alfa-fetoproteína está presente en cantidades muy bajas. El médico solicita su medición ante la sospecha de un tumor en el hígado (hepatocarcinoma) que la produce y, por tanto, se eleva en sangre en dichos casos.

Serología. Se usa para detectar la presencia de anticuerpos (defensas) en sangre contra un microorganismo. Ciertos microorganismos (antígenos) estimulan al organismo para producir anticuerpos en una infección activa. En el laboratorio los anticuerpos reaccionan con los antígenos de formas específicas, de tal manera que se pueden utilizar para confirmar la identidad del microorganismo.

Si se detectan anticuerpos es que ha habido exposición a un antígeno (por ejemplo, si se detectan anticuerpos contra el virus B de la hepatitis, quiere decir que el paciente tiene, ha tenido o está vacunado contra esta enfermedad). Por tanto, la detección de anticuerpos se utiliza para diagnosticar una infección previa curada o activa o para determinar si el individuo es inmune a una reinfección del germen. Una serología –determinación de la presencia de anticuerpos– puede establecer si la persona ha estado expuesta alguna vez a un microorganismo en particular (antígeno), pero no indica necesariamente que haya una infección activa.

Coprocultivo. El médico solicita cultivo de heces cuando hay diarrea, sobre todo si se acompaña de fiebre, por sospecha de que el paciente se haya contaminado de gérmenes, parásitos, huevos helmintos, amebas, tenias y protozoos, por beber agua contaminada, tomar verduras frescas mal lavadas, consumir alimentos contaminados o vegetales frescos en países tropicales, comer con las manos sucias, etcétera. De todas maneras, no es necesario realizarlo en la gran mayoría de las diarreas comunes, ya que tienen tendencia a curarse con medidas de soporte y sin tratamiento.

Hemocultivo o cultivo sanguíneo. Determina si hay microbios en sangre. La mayoría de los cultivos se realizan para determinar la presencia de bacterias, aunque también de micobacterias e infecciones micóticas (hongos). El hemocultivo se indica ante sospecha de infección en la sangre, por síntomas de fiebre y escalofríos. El cultivo de sangre identifica el origen de la infección y ayuda al médico a indicar el tratamiento antibiótico más específico y, por tanto, el más adecuado.

Exámenes genéticos. Una pequeña cantidad de sangre puede ser utilizada para obtener información genética. Dicha información está contenida en las cadenas del ácido desoxirribonucleico (DNA) y resulta valiosa para diagnosticar defectos genéticos que pudiesen ocasionar enfermedades específicas.

El médico, por lo general, recomienda la realización de este estudio cuando existe un historial familiar de una determinada enfermedad y algún miembro de la familia desea saber si es portador del gen y qué posibilidades hay de que sus futuros hijos hereden esa condición. Los estudios genéticos están especialmente indicados en aquellas enfermedades en que está demostrada una cierta predisposición familiar e incluso pueden ayudar a su diagnóstico. Veremos su utilidad en enfermedades como, por ejemplo, el cáncer de colon o la celiaquía, donde no tan sólo ayudan al diagnóstico, sino también, y mucho más importante, a detectar familiares con predisposición hacia una determinada enfermedad. Por ello son esenciales para una prevención adecuada y racional que busque la máxima efectividad, con un mínimo riesgo y al menor coste.

¿Cuáles son las pruebas de diagnóstico por la imagen más solicitadas y de mayor utilidad en patología digestiva?

En radiología, los rayos X atraviesan los diversos tejidos corporales que absorben más o menos las radiaciones, por lo que la placa o pantalla queda más o menos impresionada (como pasa con la luz en fotografía). Así, el hueso absorbe toda la radiación y la placa no se impresiona y queda trasparente, mientras que la grasa o el aire absorben poca radiación y la zona de placa queda oscura. Los rayos X absorbidos pueden alterar algunos compuestos en las células, lo que puede ocasionar mínimos daños, que se reparan pronto, con un riesgo muy bajo de generar alteraciones preocupantes o defectos hereditarios (en células germinales ováricas o espermáticas).

Los equipos actuales de rayos X se regulan para suministrar la cantidad de radiación mínima necesaria para producir la imagen. Los niños pequeños y el feto de una mujer embarazada son los más sensibles a los riesgos que genera la exposición a los rayos X. Por esta razón las mujeres deben informar al médico si creen estar embarazadas, para que el médico valore el binomio riesgo-beneficio de realizar la exploración radiológica. La exposición a los rayos X no provoca ningún tipo de molestia. El paciente debe permanecer inmóvil, sobre todo en el momento de realizar la radiografía, y a veces debe adoptar posiciones incómodas durante un corto período.

Los rayos X se utilizan en las siguientes exploraciones de patología digestiva:

- **Esófago – gastroduodenal.** Después de un período de 6-8 horas de ayuno se puede explorar el tramo digestivo alto bebiendo sulfato de bario, contraste inocuo radioopaco (absorbe radiaciones). El médico controla en una pantalla (similar a la de un televisor) el paso del contraste a través de esófago, estómago y duodeno, y puede obtener placas radiográficas que permiten delimitar mejor la imagen dejando constancia de la misma.

  En las exploraciones radiológicas con bario es recomendable beber abundantes líquidos después de la exploración, con el objetivo de evitar que el bario se compacte y sea dificultosa su evacuación. En caso de que no se logre evacuar (deposiciones blancas, debidas al color del contraste) es conveniente no retrasar mucho su expulsión utilizando un laxante suave.

- **Enema opaco o de bario.** Para explorar el colon se requiere una dieta previa pobre en fibras desde unos dos días antes y la toma de laxantes potentes que aseguren una adecuada limpieza del colon, lo cual es imprescindible para su evaluación. La toma de estos laxantes es probablemente la parte más desagradable de la exploración. Se realiza una infusión rectal de sulfato de bario, con poca presión, para no provocar deseos de evacuación o al menos para que éstos sean tolerables. El médico controla el flujo del bario en la pantalla y en ciertos momentos se toman radiografías. El paciente debe contener la respiración y permanecer quieto durante unos segundos para que las imágenes no salgan borrosas.

- **Tomografía axial computarizada (TAC-TC) o «escáner».**
Es un método radiológico que crea imágenes transversales. El paciente se acuesta en una mesa estrecha que se desliza hacia el centro del escáner. Una vez dentro, el haz de rayos X gira alrededor y un ordenador capta las imágenes individuales, llamadas cortes, en una única resultante. Algunos estudios requieren un medio de contraste para resaltar áreas específicas y crear una imagen más clara. Se puede administrar por vía intravenosa o como un líquido radioopaco que se bebe.

El contraste intravenoso (habitualmente yodo) puede causar una ligera sensación de ardor en el lugar de la inyección, sabor metálico en la boca y calor súbito. Estas sensaciones son normales y usualmente desaparecen en pocos segundos. Una persona alérgica al yodo puede tener nauseas, picor, urticaria, etcétera. En muy raras ocasiones se produce una verdadera reacción alérgica potencialmente grave. Los aparatos que se usan para la TAC se controlan y regulan para garantizar el mínimo de radiación. Sin embargo, no es recomendable realizar la TAC abdominal en mujeres embarazadas, debido a que puede causar daño al feto.

Ecografía abdominal (ultrasonido de abdomen). En esta técnica se utilizan ondas de sonido de alta frecuencia (ultrasonidos que no puede oír el oído humano). Es un procedimiento diseñado para obtener imágenes de órganos internos del abdomen, como el hígado, la vesícula biliar, el bazo, el páncreas y los riñones. Los vasos sanguíneos que van a algunos de estos órganos también se pueden evaluar empleando las técnicas de ultrasonido. El emisor (sonda), movido por la mano del explorador, emite ultrasonidos que atraviesan o se reflejan en las diversas estructuras corporales, los cuales se reorganizan en un ordenador creando imágenes que delimitan estructuras internas.

Con esta exploración no hay exposición a radiaciones, por lo que puede ser utilizada con seguridad en mujeres embarazadas. Es conveniente practicar la exploración en ayunas. Se aplica un gel conductor transparente en la piel, sobre el área que se va a examinar, para ayudar a la transmisión de las ondas sonoras.

Resonancia magnética nuclear abdominal. Es un procedimiento no invasivo que usa imanes que producen ondas magnéticas. El instrumento recoge los cambios magnéticos que se producen en cada uno de los tejidos y órganos, y en la pantalla y placas se pueden obtener imágenes diferenciadas de unos y otros. No utiliza radiación (rayos X).

Se pide al paciente que se acueste en una mesa que se desliza dentro de un tubo grande similar a un túnel. El médico puede inyectar un medio de contraste en vena, lo que ayuda a que los órganos aparezcan mejor definidos en las imágenes. El medio de contraste más común, el gadolinio, es seguro y las reacciones alérgicas muy infrecuentes.

Los fuertes campos magnéticos creados durante la resonancia magnética pueden interferir con implantes, como marcapasos cardíacos y prótesis de cadera, por lo que las personas que los tengan no pueden someterse al procedimiento. Antes de realizar la exploración, el paciente debe desprenderse de objetos metálicos (reloj, joyas, monedas, etcétera).

La resonancia magnética no causa dolor, pero algunas personas pueden sentirse ansiosas cuando están dentro del tubo. En este caso se puede administrar un sedante suave (por ejemplo, un comprimido sublingual [debajo de la lengua] de *diazepam* 5 miligramos), que disminuye la ansiedad y además hace menos probable los movimientos excesivos del paciente, que puedan distorsionar las imágenes y causar errores.

La resonancia magnética abdominal proporciona imágenes detalladas desde planos diferentes y, con frecuencia, se utiliza para clarificar hallazgos de radiografías o TAC previas. Diferencia tejidos normales de tumorales y ayuda a determinar el tamaño y la propagación del tumor. También la TAC revela estos datos y, en ambos casos, esta información se denomina estadificación tumoral.

¿Qué es la endoscopia digestiva?

La endoscopia es la técnica que permite ver de forma directa la superficie de órganos huecos mediante instrumentos ópticos, llamados endoscopios. Un endoscopio es un dispositivo que consiste en un tubo flexible en cuya punta hay una fuente de luz que ilumina la zona a explorar y una cámara que recoge las imágenes y las transmite a un monitor de televisión. Además, llevan incorporados canales por los que se introducen instrumentos auxiliares que permiten tomar biopsias, realizar extracción de cuerpos extraños, e insuflar aire o agua a presión para limpieza de la zona a explorar.

La endoscopia digestiva permite visualizar parte del tubo digestivo a través de orificios naturales. Por la boca, la gastroscopia permite ver el esófago, el estómago y el duodeno. Por el ano, la colonoscopia sirve para visualizar el colon e incluso la última región del intestino delgado (íleon). Asimismo, mediante pequeñas incisiones en la pared del abdomen la endoscopia, en este caso llamada laparoscopia, permite visualizar la cavidad abdominal, el hígado, el peritoneo, el bazo, etcétera.

El tubo del endoscopio dispone de al menos dos canales, uno para la insuflación de aire (con el objeto de distender los órganos huecos y poder verlos mejor y de forma más completa), y otro para poder introducir pinzas con las que tomar muestras de tejidos para su análisis (biopsia), o instrumentos con los que extraer cuerpos extraños o practicar pequeñas intervenciones quirúrgicas a través del endoscopio (por ejemplo, abrir la papila de Vater para extraer cálculos de la vía biliar), a fin de que el paciente pueda evitarse una intervención quirúrgica importante.

Al endoscopio gastrointestinal se le puede agregar una sonda de ultrasonido. Este procedimiento se denomina ecoendoscopia, y une a la visualización de paredes internas de los órganos huecos la posibilidad de estudiar mediante ultrasonidos las características de la pared de los órganos huecos, órganos adyacentes, sólidos o huecos.

Gastroscopia. El paciente debe estar en ayunas desde al menos seis horas antes (véase figura A.1.). La gastroscopia se puede hacer con sedación o bien se puede utilizar un anestésico local en forma de aerosol (lidocaína) que a través de la boca impacta sobre la garganta para inhibir o por lo menos disminuir el reflejo de la tos o las náuseas cuando se introduzca el endoscopio.

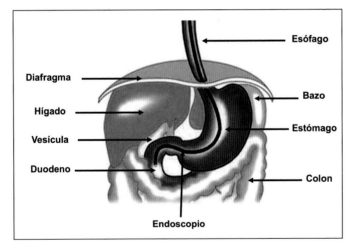

Figura A.1. Gastroscopia

La exploración dura 5-10 minutos y es bien tolerada. De todas maneras, algunos pacientes necesitan sedación. Los riesgos son pequeños en las gastroscopias diagnósticas. La perforación es el más grave, y se produce en 2 de cada 10.000 exploraciones diagnósticas. Pueden aparecer complicaciones cardiopulmonares (derivadas generalmente de la sedación) en 2 de cada 1.000 exploraciones. Afortunadamente, la mortalidad es muy baja, 0,5 muertes por cada 10.000 exploraciones. Estos porcentajes aumentan de forma considerable cuando se realizan procedimientos endoscópicos terapéuticos, como colocación de prótesis en el esófago para permitir la alimentación o la colocación de bandas elásticas para el tratamiento de varices esofágicas. En estos casos, las complicaciones son del 25% (úlceras en esófago, perforación, aspiración, hemorragia, etcétera) y la mortalidad es de alrededor del 2%.

Colonoscopia. Para la preparación del examen es indispensable realizar una limpieza completa del intestino y con este fin se usan laxantes potentes. Es casi imprescindible la sedación para evitar el dolor provocado por la insuflación de aire y las tracciones que produce el colonoscopio.

Se introduce el instrumento a través del ano y se avanza suavemente hasta la parte más baja del intestino delgado. La insuflación de aire permite tener mejor visualización, y la aspiración permite retirar restos de contenido del colon y secreciones. Se pueden tomar muestras de tejido con pinzas pequeñas para biopsia. Asimismo, los pólipos se pueden extirpar con asa metálica de electrocoagulación (véase figura A.2.).

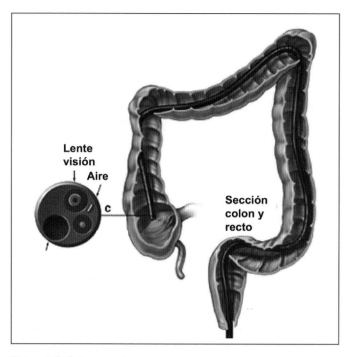

Lente
visión
Aire
c
Sección
colon y
recto

Figura A.2. Colonoscopia

Las complicaciones pueden ser:

a) *Perforación intestinal* por la propia exploración (muy rara) o por extirpación de pólipos con asa (2 de cada 1.000 procedimientos). Si se produce perforación se requiere habitualmente una intervención quirúrgica de urgencia, en la que una simple sutura soluciona el problema en la gran mayoría de los casos.

b) *Sangrado* profuso o persistente en el lugar de extirpación del pólipo (1 de cada 1.000 exámenes). Se puede frenar la hemorragia en la misma exploración mediante inyección local de adrenalina y electrocoagulación.

c) *Reacción adversa a sedantes*, causando problemas respiratorios o hipotensión (0,5 de cada 1.000 exámenes).

Cápsula endoscópica. Es una cápsula grande, que se puede tragar perfectamente, que se desplaza por el intestino hasta que finalmente es expulsada por el ano. Contiene una mini-cámara, una fuente de luz, una antena y un transmisor. Permite obtener imágenes del intestino delgado, al que es muy difícil llegar con los endoscopios. Las imágenes son trasmitidas y captadas por un receptor que se sujeta a la cintura del paciente.

Este procedimiento se utiliza para objetivar lesiones de intestino delgado potencialmente sangrantes en pacientes con hemorragia digestiva o anemia crónica donde la gastroscopia y la colonoscopia son normales, y también para diagnosticar posible enfermedad inflamatoria no diagnosticada con los medios habituales.

Laparoscopia. La laparoscopia exploratoria se hace esporádicamente cuando hay dudas diagnósticas con el resto de exploraciones. La laparoscopia terapéutica o cirugía e invasiva mínima permite, mediante pequeñas incisiones en el abdomen, la extirpación de la vesícula, resecciones de colon, etcétera. Las pequeñas incisiones alrededor del ombligo permiten la inserción de un trocar (tubo que va al interior del abdomen) por el que se pasa una cámara de vídeo. Previamente, se inyecta dióxido de carbono mediante una aguja, lo que crea un espacio intrabdominal mayor, que permite visualizar y manipular más fácilmente los órganos.

Tanto la laparoscopia diagnóstica como la terapéutica se hacen en quirófano bajo anestesia general. En el caso de la cirugía laparoscópica, se hacen pequeñas incisiones adicionales para los instrumentos que permitirán al cirujano mover los órganos abdominales, cortar tejido, suturar y engrapar estructuras. Las complicaciones pueden producirse por perforación de algún órgano o por sangrado en la cavidad abdominal. La capacidad de realizar una laparoscopia está limitada por la presencia de cirugías abdominales previas. Con frecuencia, una cirugía anterior induce la formación de cicatrices (bridas y adherencias) que impiden el paso seguro del trocar dentro del abdomen y que la pared abdominal se distienda adecuadamente al introducir el gas.

¿Qué son las exploraciones funcionales digestivas?

Son aquellas exploraciones que permiten valorar la funcionalidad en pacientes con síntomas y en los que exploraciones morfológicas (técnicas de imagen y endoscopia) no encuentran alteraciones que los justifiquen. Sólo se mencionarán las tres técnicas más utilizadas, la manometría, la pH.metría de esófago y la manometría anorrectal.

Manometría de esófago. Detecta alteraciones motoras de esófago mediante un registro simultáneo y a diferentes niveles de las variaciones de presión que se producen en la luz esofágica. Estas variaciones se observan a través de un catéter conectado a un sistema de perfusión continua de agua con cuatro orificios separados entre ellos por 5 centímetros. Permite valorar el tono (la fuerza) del esfínter esofágico inferior, valorar el tono y características de los movimientos peristálticos (ondas que llevan el contenido del esófago desde la faringe al estómago) y valorar el tono del esfínter esofágico superior. La disfagia sin lesión orgánica es su indicación fundamental. La exploración requiere la introducción del catéter por vía nasal y la duración de la prueba es de una media hora. Aunque produce algunas molestias, como escozor nasal y náuseas cuando se introduce el catéter, la prueba suele ser bien tolerada. No hay contraindicaciones para su realización (véase figura A.3.).

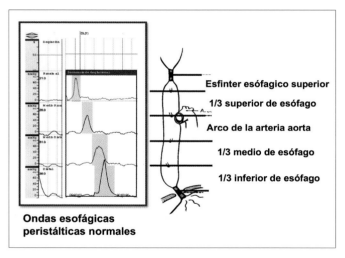

Figura A.3. Manometría de esófago

pH.metría de esófago. La monitorización continua mediante un electrodo durante 24 horas del grado de ácido presente en el esófago es un método relativamente sencillo y de enorme utilidad para el diagnóstico de la enfermedad por reflujo. El electrodo se introduce por vía nasal hasta el nivel deseado —en la práctica se suele registrar el grado de ácido a cinco centímetros por encima del esfínter esofágico inferior— y se fija al dorso de la nariz.

La pH.metría detecta la presencia de reflujo patológico y, además, permite su correlación con los síntomas. No es necesario realizar esta exploración ante la presencia de síntomas típicos, pero es conveniente llevarla a cabo ante dudas diagnósticas, rebeldía al tratamiento o la presencia de síntomas atípicos. Es bien tolerada, aunque es molesta porque hay que llevar el catéter y el registrador de los datos durante las 24 horas que dura la exploración

Manometría anorrectal. Es una exploración que se basa en un sistema de medición de presiones, como el descrito en la manometría esofágica, en el que los cuatro orificios que miden el tono están situados a un centímetro unos de otros. Permite conocer el tono del canal anal y también observar y objetivar la normalidad de los reflejos del recto y del ano, lo cual es fundamental para una evacuación y continencia correctas. Dicha objetivación se logra por medio de la insuflación de un balón al final del catéter, que simula la llegada de heces al recto.

Es una exploración muy bien tolerada y muy segura. La manometría anorrectal también se utiliza con fines terapéuticos, mediante el denominado readiestramiento –en inglés *biofeedback*–. Consiste en hacer visualizar al paciente en la pantalla del ordenador el trastorno motor que tiene para que intente modificarlo. La manometría anorrectal está indicada en casos de incontinencia o en algunos casos de estreñimiento en los que se sospeche que se trata de una alteración funcional a este nivel.

Anexo III

El paciente corresponsable con el médico en las decisiones sobre la salud. Ética de la información. Consentimiento informado

¿Debe el paciente decidir sobre su salud?

Prácticamente nadie duda hoy en día de que el paciente puede y debe decidir sobre su salud después de recibir una información suficiente y comprensible del médico responsable de su asistencia. Pero a pesar de ello, permítanme unas cortas reflexiones en cuanto a la importante cuestión de la relación entre el paciente y su médico.

La medicina es una actividad humanitaria al servicio de la salud, basada en la relación personal médico-paciente. Desde tiempos remotos el médico ofrecía sus conocimientos a la sociedad y obtenía honorarios de los pacientes que podían pagarle, o cuando no era así ejercía su profesión de forma gratuita, habitualmente en hospitales llamados de beneficencia. La sociedad le compensaba con consideración social y exclusividad (sólo el médico podía ejercer actividades curativas). Además, el médico se comprometía a estar en todo momento a disposición del paciente, para cumplir el código profesional y anteponer el interés del paciente al suyo propio.

A finales del siglo xix y comienzos del xx, el pacto tácito entre sociedad y médico se resiente, ya que unos pocos médicos obtenían beneficios abusivos y una mayoría lo permitía de forma directa o indirecta. Este hecho, unido a la revolución científica y tecnológica, comportó trascendentes cambios en la organización de hospitales y, sobre todo, cambios tecnológicos (instrumentos complejos de diagnóstico y tratamiento) que conllevaban crecientes necesidades económicas. Todos estos cambios llevaron de forma lenta pero inexorable a la socialización de la medicina y a la intermediación en la asistencia sanitaria, a través del seguro médico público y privado. Todos estos elementos tienen influencia en la relación paciente-médico.

Una de las cuestiones más espinosas de la práctica sanitaria se refiere al derecho de los pacientes a conocer la verdad de su enfermedad. Este derecho, no negado por nadie, a menudo es contradictorio con el hecho de que algunos pacientes no están preparados para recibir una noticia que les puede afectar. Pero esconder la información verídica al paciente es infantilizarlo, mantenerlo en una situación de engaño permanente, en un clima falso y artificial, en el que todos conocen lo que le esta pasando excepto él, único protagonista y autor de su propia historia.

Debemos desterrar de entre nosotros, de forma prudente pero con convicción, las "conspiraciones de silencio" por parte de algunas familias que pretenden, evidentemente con una equivocada buena intención, ocultar como sea el mal que padece su pariente enfermo.

¿Qué es el Código de Deontología y cuàles son las normas que tratan de la información a los pacientes?

Las normas éticas o deontológicas son el instrumento normativo de las actitudes y los comportamientos exigibles a los médicos en el ejercicio de su profesión. En estas normas se indica que el paciente está por encima de cualquier otra conveniencia y se indica la trascendencia de una información adecuada y comprensible. El destinatario de la información es el paciente o la persona legitimada para recibirla. En caso de menores o incapaces se recurrirá al vinculado responsable (padres, tutores, familiares más directos, etcétera). El artículo 6.2 del convenio sobre derechos humanos exige ponderar el grado de capacidad del destinatario y, cuando hay dudas sobre su capacidad para decidir, aun cuando sea mayor de edad y legalmente capaz, es conveniente recabar de los vinculados responsables que asuman o no la decisión del paciente y, en caso de discordancia, se recurra a mediadores o en última instancia al juez.

El deber de la información incumbe al médico responsable del paciente, sin perjuicio de la que corresponde al médico que practica la intervención diagnóstica o terapéutica. El artículo 10 del Código de la Organización Médica Colegial Española (OMC) y el capítulo III del Código de Deontología de Cataluña hacen referencia a la información que el médico debe dar a sus pacientes. Creo que merece la pena conocerlos, ya que son de obligado cumplimiento por parte de los médicos.

Artículo 10.1 (Código de la OMC, 1999). Los pacientes tienen derecho a recibir información sobre su enfermedad y el médico debe esforzarse en dársela con delicadeza y de manera que pueda comprenderla. Respetará la decisión del paciente a no ser informado y comunicará entonces los extremos oportunos al familiar o allegado que haya designado para tal fin.

Artículo 10.4 (Código de la OMC, 1999). Cuando las medidas propuestas supongan para el paciente un riesgo significativo, el médico le proporcionará información suficiente y ponderada a fin de obtener, preferentemente por escrito, el consentimiento específico imprescindible para practicarlas.

Artículo 10.5 (Código de la OMC, 1999). Si el enfermo no estuviese en condiciones de dar su consentimiento por ser menor de edad, estar incapacitado o por la urgencia de la situación y resultara imposible obtenerlo de su familia o representante legal, el médico deberá prestar los cuidados que le dicte su conciencia profesional.

Artículo 10.6 (código de la OMC, 1999). La opinión del menor será tomada en consideración como un factor que será tanto más determinante en función de su edad y grado de madurez.

Artículo 22 (Código de Cataluña, 2005). El médico tiene el deber de dar al paciente la máxima información posible sobre su estado de salud, los pasos diagnósticos, las exploraciones complementarias y los tratamientos. La información debe ser dada de forma comprensible y prudente, y comprenderá también las medidas preventivas para evitar el contagio y la propagación de la enfermedad. También debe informar a la persona en el caso de que sea objeto de investigación, experimentación o docencia.

Artículo 24 (Código de Cataluña, 2005). El médico debe informar al paciente de las alteraciones que sufre y del pronóstico de la enfermedad de forma comprensible, verídica, mesurada, discreta, prudente y esperanzadora. Cuando se trate de enfermedades de pronóstico grave, el médico debe procurar igualmente informar al paciente, y tiene que plantearse en conciencia cómo conseguir que tanto la misma información como la forma de darla no le perjudiquen. Debe hacerlo de forma comprensible, verídica, mesurada, discreta, prudente y esperanzadora. El médico tiene que respetar el derecho del enfermo a no ser informado.

Artículo 25 (Código de Cataluña, 2005). El médico informará a las personas vinculadas al paciente cuando éste así lo autorice o cuando el médico intuya que no existe la posibilidad de una comprensión lúcida por parte del paciente.

Por tanto, los códigos de deontología actualmente vigentes en España delimitan las responsabilidades en cuanto a la información y hacen hincapié en la necesidad de que el paciente contribuya de forma activa e incluso prioritaria a la toma de decisiones.

¿Qué es el consentimiento informado y qué papel juega en la información a los pacientes?

Los códigos de ética indican la importancia de la información. Pero la ley exige, además, que el consentimiento, tácito en la mayoría de los actos médicos, deba hacerse por escrito en actos médicos de riesgo. Es el consentimiento informado. La importante ley 41/2002 sobre autonomía del paciente define el consentimiento informado en su artículo 3 como «la conformidad libre voluntaria y consciente de un paciente, manifestada en el pleno uso de sus facultades después de recibir la información adecuada, para que tenga lugar una actuación que afecta a su salud».

La Ley 41/2002 de 14 de noviembre, reguladora de la autonomía del paciente y de los derechos y obligaciones en materia de información y documentación clínica, establece las bases del consentimiento informado con la intención de asegurar el derecho de los ciudadanos a recibir una correcta información antes de recibir cualquier procedimiento diagnóstico o terapéutico que pudiera producir algún efecto adverso de importancia para el paciente. Es decir, el consentimiento informado debe obtenerse en procedimientos que sean invasores, entendiendo por tales aquellos que supongan riesgos o inconvenientes previsibles que puedan repercutir en las actividades de la vida cotidiana, especialmente cuando puedan derivarse complicaciones que afecten a la salud o incluso a la propia vida. Además, cuanto más dudosa sea la efectividad de un procedimiento diagnóstico o terapéutico, más necesario es un cuidadoso proceso de información y consentimiento.

Sin embargo, la propia ley reconoce excepciones de esta obligatoriedad:

- *Situaciones de urgencia.* El consentimiento informado e incluso el propio deber de información se anula en los casos en que la urgencia no permita demoras y en los que el paciente no esté en condiciones de recibirla, ni sea posible acudir a familiares.

- *Caso de pronóstico fatal.* No conocer un pronóstico ominoso es un derecho que corresponde a todo paciente.

- *Renuncia del destinatario.* El artículo. 10.2 del Convenio sobre Derechos Humanos dice que «deberá respetarse la voluntad de una persona a no ser informada», aunque este extremo debe quedar muy bien documentado.

Creo que el lector considerará de interés conocer el propio redactado de la Ley, que es tan claro que hasta puede ser entendido por los que no somos profesionales del Derecho.

Artículo 8. Consentimiento informado.

8.1. Toda actuación en el ámbito de la salud de un paciente necesita el consentimiento libre y voluntario del afectado, una vez que, recibida la información prevista en el Art. 4, haya valorado las opciones propias del caso.

8.2. El consentimiento será verbal por regla general. Sin embargo, se prestará por escrito en los casos siguientes: intervención quirúrgica, procedimientos diagnósticos y terapéuticos invasores y, en general, aplicación de procedimientos que suponen riesgos o inconvenientes de notoria y previsible repercusión negativa sobre la salud del paciente.

8.5. El paciente puede revocar libremente por escrito su consentimiento en cualquier momento.

Algunos de los actuales consentimientos informados introducen, creo que de forma exagerada, todas las complicaciones posibles, incluso las muy infrecuentes, provocando en los pacientes miedos innecesarios y, lo que puede ser peor, que éstos se nieguen a la realización de un procedimiento necesario para su salud. Por ello, es preciso transformar las listas de peligros de la medicina defensiva en mecanismos de confianza, con el objetivo de afrontar conjuntamente, el paciente y el equipo asistencial, los problemas que se puedan presentar, durante y después de un procedimiento diagnóstico o de tratamiento, con la seguridad de que la institución donde se va a realizar está preparada para afrontar las complicaciones que puedan derivarse y de que el médico responsable, como depositario de la confianza del paciente, le acompañará en todo el proceso.

¿Puede negarse el paciente a firmar del consentimiento informado?

Una vez que el paciente haya recibido la información del médico y leído el consentimiento informado, puede negarse a firmarlo, pero ello conlleva que, muy probablemente, el médico, de manera legítima, no se decida a realizar el procedimiento que se ha considerado necesario para él. Pero el médico no puede ni debe rendirse a la primera negativa. Debe intentar de nuevo convencer al paciente de la conveniencia del procedimiento propuesto y, en caso de nueva negativa, recomendar una mediación o una segunda opinión que ayude al paciente en la toma de la decisión.